Medical Terminology
of
CRITICAL CARE MEDICINE

중환자의학 용어집

영·한 | 한·영
English·Korean | Korean·English

제2판

중환자의학 용어집 제2판

첫째판 1쇄 인쇄 | 2007년 08월 22일
첫째판 1쇄 발행 | 2007년 08월 30일
둘째판 1쇄 인쇄 | 2020년 07월 22일
둘째판 1쇄 발행 | 2020년 07월 30일
둘째판 2쇄 발행 | 2021년 02월 23일
둘째판 3쇄 발행 | 2023년 10월 20일

지 은 이 대한중환자의학회
발 행 인 장주연
출 판 기 획 김도성
책 임 편 집 안경희
편집디자인 양은정
표지디자인 김재욱
발 행 처 군자출판사(주)
등록 제4-139호(1991. 6. 24)
본사 (10881) **파주출판단지** 경기도 파주시 회동길 338(서패동 474-1)
전화 (031) 943-1888 팩스 (031) 955-9545
홈페이지 | www.koonja.co.kr

ISBN 979-11-5955-589-3
비매품

Contributors

표준화이사

홍석경 울산의대 서울아산병원

간사

이학재 울산의대 서울아산병원

표준화위원

김도완 전남의대 전남대학병원

박소영 이화의대 이대서울병원

서이준 연세의대 용인세브란스병원

장유진 인제의대 상계백병원

하은진 서울의대 서울대학병원

하태순 순천향의대 부천순천향병원

Foreword

2007년에 중환자의학 용어집 초판이 발행된 이후, 2020년 제2판이 간행되었습니다. 중환자의학 용어집 제2판은 일반적인 의학용어는 의사협회에서 2020년 개정한 의학용어집 6판에 의거하였으며, 중환자 관련 새로운 용어들은 2020년 중환자의학 교과서 4판 간행과 함께 동시에 정의한 데 큰 의미가 있습니다.

끊임없이 발전하는 중환자의학의 진단, 치료, 시술에 발맞춰 새로운 용어들을 한글로 정의하고 수정 보완하는 작업은 지속되어야 합니다. 의료현장에서 의료인들끼리 영어용어를 사용하는 데 불편함이 없어 불필요한 일로 생각할 수 있으나, 용어의 의미를 정확히 전달할 수 있는 용어를 찾는 작업은 의료진 간의 표현을 일치시키고 의료진 외에도 학생 및 일반인과 소통하고 이해시키는 첫 걸음으로 매우 중요한 작업입니다. 중환자의학 용어들이 의료인 및 일반인들에게도 자리잡을 수 있기를 바랍니다.

대한중환자의학회 교과서 4판과 더불어 작업된 중환자의학 용어집 제 2판 발간을 위해 물심양면 지원해 주신 홍성진 전회장님과 곽상현 회장님, 그리고 이번 작업을 함께 해주신 표준화위원회 위원님들께 고개 숙여 깊은 감사드립니다. 그리고 교과서와 용어집 동시 출판을 맡아 주신 군자출판사에도 감사드립니다.

2020년 7월 20일

대한중환자의학회 표준화위원회

위원장 **홍 석 경**

ENGLISH -KOREA

영-한 편

17-Hydroxycorticosteroid	17 하이드로 코르티코이드
2,3-Diphosphoglycerate	2,3-디포스포글리세레이트
3-dimensional computed tomography	3차원전산화단층촬영술

abbreviated injury scale	단축손상척도
abbreviated injury scale	단축손상척도
ABCDE bundle	ABCDE 묶음치료
abdomen	배, 복부
abdominal aorta	복부대동맥, 배대동맥
abdominal compartment syndrome	복부구획증후군
abdominal decompression	복부감압술
abdominal muscle	배근육, 복근
abdominal trauma	복부외상
abduction	벌림, 외전
aberrancy	이상, 편위
abnormal	이상, 비정상
ABO system	ABO 체계
abruptio placentae (=placenta abruption)	태반조기박리
abscess	고름집, 농양

absolute shunt	절대단락
absorption	흡수
absorption atelectasis	흡수무기폐
abstinence	금단, 중단
abstinence delirium	금단섬망
acalculous cholecystitis	무결석쓸개담낭염
accelerated atrioventricular rhythm	가속심방심실이음부리듬
accelerated idioventricular rhythrn	가속심실고유리듬
acceleration phase	촉진기, 가속기
accessory pathway	덧전도로, 부전도로
accessory respiratory muscle	보조호흡근, 부호흡근
acebutolol	아세부톨롤
acid	산
acid-base status	산-염기상태
acidemia	산혈증
acidity	산도
acidosis	산증
acinetobacter	아시네토박테르(속)
acquired immune deficiency syndrome (AIDS)	후천면역결핍증후군, 에이즈
acromegaly	말단비대증
action potential	활동전위
activated charcoal	활성탄
activated clotting time	활성응고시간

activated partial thromboplastin time (aPTT) 활성화부분트롬보플라스틴시간
activated protein C 활성단백질 C
activation 활성화
active phase 활성기
active process 능동과정
active pulmonary tuberculosis 활동폐결핵
activity 활성도, 활동
acute 급성
acute abdomen 급성복증
acute anterior mediastinitis 급성전방종격염
acute asthma 급성천식
acute bacterial meningitis 급성세균뇌수막염
aute cellular rejection 급성세포성거부반응
acute cholecystitis 급성쓸개염, 급성담낭염
acute colonic pseudo-obstruction 급성결장거짓막힘, 급성결장거짓폐쇄
acute coronary syndrome 급성관상동맥증후군
acute disseminated encephalomyelitis 급성파종뇌척수염
acute disseminated encephalomyelopathy 급성파종뇌척수병
acute disseminated intravascular coagulation 급성파종혈관내응고증
acute epiglottitis 급성후두개염
acute fulminant myocarditis 급성전격심근염
acute heart failure 급성심장기능상실, 급성심부전

acute hemolytic transfusion reaction (AHTR) 급성용혈성수혈반응
acute hyponatremia 급성저나트륨혈증
acute interstitial nephritis 급성사이질콩팥염, 간질신장염
acute interstitial pneumonia 급성간질폐렴, 사이질폐렴
acute ischemic stroke 급성허혈뇌졸중
acute kidney injury 급성신장손상
acute laryngitis 급성후두염
acute liver failure 급성간기능상실, 급성간부전
acute lung injury 급성폐손상
acute mesenteric ischemia 급성장간막경색증
acute myocardial infarction 급성심근경색증
acute nephritic syndrome 신증후군, 콩팥증후군
acute pancreatitis 급성이자염, 급성췌장염
acute pericarditis 급성심장막염, 급성심낭염
acute phase 급성기
acute phase protein 급성기단백질
acute physiology and chronic health evaluation (APACHE) score
APACHE 점수
acute promyelocytic leukemia 급성전골수세포백혈병,
급성풋골수세포백혈병
acute prostatitis 급성전립선염
acute radiation syndrome 급성방사선증후군
acute renal failure 급성콩팥기능상실, 급성신부전
acute respiratory distress syndrome (ARDS) 급성호흡곤란증후군

acute respiratory failure	급성호흡기능상실, 급성호흡부전
acute stroke	급성뇌졸증
acute tubular necrosis	급성요세관괴사
acute-on-chronic liver failure	만성간부전의 급성악화
acute-on-chronic respiratory failure	만성호흡부전의 급성악화
adaptation	적응, 순응
adaptive-support ventilation (ASV)	적응보조환기
adenocystoma	샘낭종, 선낭종
adenoma	샘종, 선종
adhesion molecule	부착분자
adhesive small bowel obstruction	유착소장폐쇄
adipose tissue	지방조직
adjuvant therapy	보조요법
admission	입원
adrenal cortex	부신겉질, 부신피질
adrenal crisis	부신위기
adrenal gland	부신, 콩팥위샘
adrenal hemorrhage	부신출혈
adrenal insufficiency	부신부전
adrenal medulla	부신속질, 부신수질
adrenaline	아드레날린
adrenocortical hormone	부신피질호르몬, 부신겉질호르몬
adrenocortical insufficiency	부신피질부전, 부신겉질부전

adrenocortical steroid	부신피질스테로이드, 부신겉질스테로이드
adrenocorticotropic hormone	부신겉질자극호르몬, 부신피질자극호르몬
advanced cardiac life support	상급심장소생술, 전문심장소생술
advanced life support	전문소생술
advanced liver disease	진행(성)간질환
advanced trauma life support	전문외상소생술, 상급외상소생술
adverse drug events	약물유해반응
aeration	환기, 통기
aerobic metabolism	산소대사
afferent	들, 구심, 수입
affinity	친화력
afterload	후부하
age	나이, 연령
agitation	초조
agonist	작용제
AIDS	후천면역결핍증후군, 에이즈
AIDS-related complex	에이즈관련증후군
air	공기
air bronchogram	공기기관지조영상
air embolism	공기색전증
air flow	기류
air leaks	공기누출

air mask bag unit (AMBU)	앰부주머니
air transportation	항공이송
air trapping	공기걸림
airflow obstruction	공기흐름폐쇄
airway	기도, 숨길
airway conditioning	기도 조건화
airway diameter	기도직경
airway disease	기도질환
airway edema	기도부종
airway epithelium	기도상피
airway foreign body	기도내이물
airway hypersensitivity	기도과민
airway inflammation	기도염증
airway management	기도관리
airway obstruction	기도막힘
airway patency	기도열림
airway pressure	기도내압
airway pressure release ventilation	기도압해제환기
airway resistance	기도저항
akinetic mutism	무운동함구증
albumin	알부민
alcohol intoxication	알코올중독
alcohol withdrawal syndrome	알코올금단증후군
alcoholic ketoacidosis	알코올케톤산증

aldehyde dehydrogenase	알데하이드탈수소효소
aldosterone	알도스테론
alert	각성
algorithm	알고리즘
alimentary abstinence	금식, 단식
A-line	동맥관
alkalemia	알칼리혈증
alkalosis	알칼리증
allergen	알레르기항원
alpha-tocopherol	알파토코페롤
altitude	고도, 표고
alveolar	허파꽈리-, 폐포-
alveolar capillary membrane	폐포모세혈관막
alveolar collapse	폐포허탈
alveolar edema	폐포부종
alveolar end-capillary	폐포모세혈관말단
alveolar epithelial cell	폐포상피세포
alveolar epithelial cell-vascular endothelial cell barrier	폐포상피세포-혈관내피세포 장벽
alveolar gas	폐포가스
alveolar hyperventilation	폐포과환기
alveolar hypoventilation	폐포저환기
alveolar injury	폐포손상
alveolar macrophage	폐포대식세포

alveolar marking	폐포음영
alveolar oxygen partial pressure (PAO$_2$)	폐포산소분압
alveolar oxygenation	폐포산소화
alveolar pressure	폐포압
alveolar recruitment	폐포동원
alveolar rupture	폐포파열
alveolar septum	폐포중격
alveolar unit	폐포단위, 허파꽈리단위
alveolar ventilation	폐포환기, 허파꽈리환기
alveolar-arterial oxygen tension difference (PA-aDO$_2$)	폐포동맥혈간산소분압차
alveolar-interstitial syndrome (AIS)	폐포사이질 증후군
alveolus (alveoli)	허파꽈리, 폐포
Alzheimer disease	알츠하이머병
ambulation	보행
amebic dysentery	아메바이질
amebic meningoencephalitis	아메바수막뇌염
amiloride	아밀로라이드
amino acid	아미노산
aminophylline	아미노필린
ammonia	암모니아
amniotic fluid	양수
amniotic fluid embolism	양수색전증
amyloidosis	아밀로이드증

anabolic phase	동화단계
anabolism	합성대사, 동화
anaerobic organism	무산소세균, 혐기세균
analgesia	진통
analgosedation	진통제병용진정
anaphylactic shock	아나필락시스쇼크
anaphylactoid reaction	유사아나필락시스반응, 유사초과민반응
anatomic dead space	해부학적사강
anatomical reservoir	해부적저장소
anatomical shunt	해부학적션트
anemia	빈혈
anesthesia	1.마취 2.무감각, 마비
anesthesiology	마취과학
aneurysm	동맥류, 동맥자루
angina	1.협심증 2.앙기나
angina pectoris	협심증, 가슴조임증
angiodysplasia	혈관형성이상
angiography	1.혈관조영(술) 2.동맥조영(술)
angioneurotic edema	혈관신경성부종
angioplasty	혈관성형(술)
angiopoietin-2	앤지오포이에틴-2
angiotensin	앤지오텐신
angiotensin converting enzyme	앤지오텐신전환효소

angiotensin receptor blockers	앤지오텐신수용체차단제
angiotensin-1	앤지오텐신-1
angiotensin-2	앤지오텐신-2
angiotensin-converting enzyme inhibitors	앤지오텐신전환효소억제제
angiotensinogen	앤지오텐시노겐
angle	1.각 2.구석
anhepatic phase	무간기
animal experiment	동물실험
anion gap	음이온차이
anions	음이온
ankylosing spondylitis	강직척추염
anode	양극
anomalous pulmonary venous connection	이상폐정맥연결
anorexia	식욕부진, 입맛없음
anoxic coma	무산소혼수
antagonist	1.대항제, 길항제 2.대항근
antebrachial fasciotomy	아래팔근막절개술, 전완근막절개술
antecubital vein	앞팔꿈치정맥, 전주정맥
anterior approach	전방접근법
anterior axillary line	앞겨드랑선, 전액와선
anterior cord syndrome	앞척수증후군
anterior pituitary gland hormones	앞뇌하수체호르몬
anterior tibial artery	앞정강동맥, 전경골동맥

anthrax	탄저병
antianginal drug	항협심증 약물
antiarrhythmic drug	부정맥약, 항부정맥제
antibacterial spectrum	항균범위, 항균스펙트럼
antibiotic	1.항생- 2.항생제
antibiotic therapy	항생제요법
antibiotic-associated colitis	항생제유발 대장염
antibiotic-coated catheters	항생제처리 카테터
antibiotics resistant bacterium	항생제내성균
antibody	항체
antibody-mediated rejection	항체-매개거부반응
anticancer treatment	항암치료
anticholinergic drug	항콜린제, 콜린약
anticholinergic syndrome	항콜린성증후군
anticoagulant	항응고제
anticoagulation	항응고
anticoagulation pathway	항응고경로
anticoagulation treatment	항응고치료
anticonvulsant	1.항경련- 2.항경련제
antidiuresis	항이뇨
antidiuretic hormone (ADH)	항이뇨호르몬
antidote	해독제
antiepileptic drug	항뇌전증제
antigen	항원

antigen-antibody reaction	항원항체반응
anti-glomerular basement membrane glomerulonephritis	항사구체기저막사구체신염
antihypertensive drugs	항고혈압제, 고혈압약
anti-inflammatory action	항염증작용
anti-inhibitor coagulation complex	항응고억제제복합체
antimalarial chemotherapy	항말라리아 치료
antimicrobial stewardship program	항균제관리프로그램
antimicrobial-coated or -impregnated central venous catheters	항생제 피막 또는 침윤 중심정맥카테터
antineutrophil cytoplasmic antibody- associated small-vessel vasculitis	항중성구세포질항체
anti-NMDAR encephalitis	항NMDAR뇌염
antioxidant	항산화제
antioxidation defense system	항산화방어계
antiphospholipid syndrome	항인지질항체증후군
antiplatelet therapy	항혈소판요법
antiproteinase	항단백분해효소
antipyretic	1.해열- 2.해열제
antiretroviral syndrome	항레트로바이러스 증후군
antithrombin III	항트롬빈 III
antithrombotic therapy	항혈전요법
antitoxin unit	항독소단위

antitussive	1.기침안화- 2.기침약, 진해제
antiviral drugs	바이러스약, 항바이러스제
anxiety	불안
aorta	대동맥
aortic aneurysm	대동맥류
aortic arch	대동맥활
aortic cross clamp	대동맥차단겸자
aortic dissection	대동맥박리
aortic hemiarch replacement	대동맥반활치환술
aortic insufficiency	대동맥판막기능부전
aortic pressure	대동맥압
aortic root replacement	대동맥기부치환술
aortic stenosis	대동맥판협착(증)
aortic valve disease	대동맥판막질환
aortic valve replacement	대동맥판막치환술
aortic valvular stenosis	대동맥판막협착(증)
aortitis	대동맥염
aortocaval compression	대동정맥압박
aortoenteric fistula	대동맥창자샛길, 대동맥장관루
apex	꼭지, 끝, 꼭대기
apheresis platelets (single donor platelets)	혈소판성분채집
apnea	무호흡
apnea testing	무호흡테스트
apneustic breathing	지속흡식호흡

apoptosis	세포자멸사
apoptosis inhibitors	세포자멸억제제
aprotinin	아프로티닌
arachidonic acid	아라키돈산
area under the curve (AUC)	곡선하면적
arginine	아르기닌
arousal	각성
arrhythmia	부정맥
arrhythmogenic right ventricular cardiomyopathy (ARVC)	부정맥유발우심실심근병
artemether	아르테메터
arterial blood	동맥혈
arterial blood gas	동맥혈가스
arterial blood gas analysis	동맥혈가스검사
arterial blood oxygen saturation	동맥혈산소포화도
arterial blood test	동맥혈검사
arterial cannulation	동맥관삽입(술)
arterial carbon dioxide partial pressure ($PaCO_2$)	동맥혈이산화탄소분압
arterial catheter	동맥카테터
arterial embolization	동맥색전술
arterial gas embolism	동맥공기색전증
arterial hypoxemia	동맥혈저산소혈증
arterial line	동맥도관
arterial oxygen	동맥산소

arterial oxygen content	동맥혈산소량, 동맥혈산소함유량
arterial oxygen partial pressure (PaO_2)	동맥혈산소분압
arterial oxygen saturation (SaO_2)	동맥혈산소포화도
arterial oxygen tension	동맥혈산소분압
arterial partial pressure of oxygen	동맥혈산소분압
arterial pressure	1.동맥압, 동맥혈압 2.혈압
arterial pressure wave	동맥혈압파형
arterial pulse contour analysis	동맥박윤곽분석
arteriography	동맥조영술
arteriopuncture	동맥천자, 동맥뚫기
arteriosclerosis	동맥경화증
arteriovenous blood oxygen cross	동정맥혈산소교차
arteriovenous fistula	동정맥루
arteriovenous graft	동정맥이식편
arteriovenous malformation (A-V malformation)	동정맥기형
arteriovenous shunt	동정맥션트
artery	동맥
artificial airway	인공기도
artificial respiration	인공호흡
arytenoid cartilage	피열연골
ascending aorta	오름대동맥, 상행대동맥
ascending cholangitis	상행쓸개관염, 상행담관염
ascending reticular activating system	상행그물활성계
ascites	복수

aseptic encephalitis	무균뇌염
aseptic meningitis	무균수막염
aseptic technique	무균기술
aspergillosis	아스페르길루스증
aspergillus spp.	아스페르길루스종
asphyxia	질식
asphyxiant	질식제
aspiration	흡인
aspiration pneumonia	흡인폐렴
aspiration pneumonitis	흡인폐렴
aspiration syndrome	흡인증후군
aspirin	아스피린
assisted controlled (mandatory) ventilation	보조조절환기
assisted/controlled mechanical ventilation (ACMV)	기계적조절환기
asthma exacerbation	천식악화
asthmatic crisis	천식위기, 천식발작
asymptomatic parasitemia	무증상기생충혈증
ataxic breathing	실조성호흡
atelectasis	무기폐
atheroembolization	죽종색전증
atheromatous embolization	죽상색전형성
atherosclerosis	죽상경화증
atherosclerotic plaque	죽상경화판
atmosphere	기압, 대기

atmospheric pressure	대기압
atopy	아토피
atrial arrhythmia	심방부정맥
atrial fibrillation	심방세동, 심방잔떨림
atrial filling pressure	심방충만압
atrial flutter	심방조동, 심방된떨림
atrial myxoma	심방점액종
atrial natriuretic peptide (ANP)	심방나트륨이뇨펩티드
atrial pacing	심방조율
atrial septal defect (ASD)	심방사이막결손, 심방중격결손
atrial tachyarrhythmia	심방빠른부정맥, 심방부정빈맥
atrial tachycardia	심방빠른맥, 심방빈맥
atrioventricular block	방실차단
atrioventricular junction	심방심실이음부, 방실접합부
atrioventricular nodal reentry tachycardia	방실결절재돌입빈맥
atrioventricular reentry tachycardia	방실재입빈맥
atrioventriculoseptal defect	방실사이막결손(증), 방실중격결손(증)
atrophy	위축
atropine	아트로핀
atypical antibodies	비정형항체
atypical hemolytic uremic syndrome	비정형용혈요독증후군
atypical pneumonia	비정형폐렴

auditory evoked potentials (AEPs)	청각유발전위
autocrine	자가분비
autoimmune disease	자가면역질환
autoimmune encephalitis	자가면역뇌염
autoimmune hepatitis	자가면역간염
autoimmune hypoparathyroidism	자가면역부갑상선기능저하증
autoimmune polyglandular endocrinopathy	자가면역여러샘내분비병증
autoimmune response	자가면역반응
autoimmune thrombocytopenia (AITP)	자가면역 혈소판감소증
automated external defibrillation (AED)	자동외부제세동기
automatic tachycardia	자발성빈맥
automaticity	자발성, 자동능
autonomic dysfunction	자율기능장애
autonomic hyperactivity	자율신경과다활동
autonomic hyperreflexia	자율신경반사항진
autonomic nerve	자율신경
autonomic storm	자율신경발작
autonomy	자율성
auto-PEEP	자가호기말양압
autophagocytosis	자가포식
autoreactive pericarditis	자가반응심장막염
autoregulation	자동조절
autoregulatory curve	자동조절곡선
auto-triggering	자동유발

AV dissociation	방실해리
AV interval	방실간격
A-V malformation	동정맥기형
awake intubation	각성(하)삽관
awakening	깨어남
awareness	1.인식 2.각성상태
axillary artery	겨드랑동맥, 액와동맥
axillary artery cannulation	겨드랑동맥관삽입(술), 액와동맥관삽입(술)
axis	1.축 2.중쇠뼈 3.축추
axonal degeneration	축삭변성
azotemia	질소혈증
azotorrhea	질소과잉배설

babesiosis	바베스열원충증
babinski sign	바빈스키징후
bacillary dysentery	세균이질
backup ventilation	뒷받침환기
bacteremia	세균혈증
bacteria	세균
bacterial	세균-
bacterial colony	세균집락
bacterial infection	세균감염
bacterial meningitis	세균수막염
bacterial pericarditis	세균심장막염
bacterial peritonitis	세균복막염
bacterial pneumonia	세균폐렴
bacterial toxin	세균독소
bacterium	세균
bacteriuria	세균뇨
bag-valve-mask unit	백밸브마스크
bag-valve-mask ventilation	백밸브마스크환기법
balanced salt solutions	평형염액

balloon	풍선
balloon angioplasty	풍선혈관성형(술)
balloon catheter	풍선카테터
balloon dilatation	풍선확장(술)
bandage	붕대
barbiturate	바르비투르산염
baroreceptor	압력수용기
barotrauma	압력손상
Bartter's syndrome	바터증후군
basal energy expenditure	기초에너지소비량
basal metabolic rate	기초대사율
basal mucosal cell	기저점막세포
basal segmental bronchus	바닥구역기관지
basal state	기초상태
basal zone of lung	폐기저부
base	1.바닥, 바탕, 기저 2.알칼리,염기 3.기제
base deficit (BD)	염기결핍
base excess (BE)	염기과잉
baseline	1.기준선 2.바닥선, 기저선
basement membrane	바닥막, 기저막
basic life support	기본소생술
basilar artery occlusion	뇌바닥동맥폐쇄, 뇌기저동맥폐쇄
basilar skull fracture	두개저골절, 머리뼈바닥고절

basilic vein	자쪽피부정맥, 척골측피부정맥
battle sign	배틀징후
B-cell lymphoma	B세포림프종
Beck's triad	벡의 세증후
behavioral pain scale	행동통증척도
Behcet's disease	베흐체트병
benign tumor	양성종양
Bernoulli's principle	베르누이원리
beta blocker	베타차단제
beta2-agonist	베타2작용제
beta-adrenergic	베타아드레날린
bicarbonate	중탄산염
bilateral	양측-, 양쪽-
bilateral lung field	양측폐야
bilateral ventricular assist devices	양심실보조장치
bilateral vocal cord paralysis	양측성대마비
bile juice	쓸개즙, 담즙
bilevel positive pressure ventilation	이층양압환기(법)
binding	1. 묶음 2. 결합
bioartificial liver	생체인공간
bioavailability	생체이용률
bioelectric	생체전기
biofeedback	생체되먹임, 바이오피드백
biofilm	균막

biologic response	생체반응
biological weapons	생물학무기
biology	생물학
biomarker	생물표지자
bioreactance	생체반응물질
bioterrorism	생물테러
biotin deficiency syndrome	비오틴결핍증후군
Biot's breathing	비오호흡
biphasic positive airway pressure	이상기도양압(법)
biphasic waveform	이상성파형
bipolar	양극-,두극-
bispectral index (BIS)	이중분광지수
bisphophonate	비스포스포네이트
bite wound infections	물린상처 감염, 교상 감염
blackwater fever	흑수열
bladder	방광
blast injury	폭풍손상
blastomyces dermatitidis	분아진균(속)피부염
bleb	물집, 수포
bleeding site	출혈부위
bleeding time	출혈시간
blenderized tube feeds	혼합튜브영양(법)
blind intubation	맹목삽관
B-line	B선

block	1.차단 2.차단마취 3.블록 4.차폐(물)
blocker	차단제
blood	혈액, 피
blood bank	혈액은행
blood circulation	혈액순환
blood coagulation	혈액응고
blood coagulation factor	혈액응고인자
blood coagulation system	혈액응고계
blood coagulation test	혈액응고검사
blood component transfusion	혈액성분수혈
blood concentration	혈중농도
blood flow	1.혈류 2.혈류량
blood flow rate	1.혈류량 2.혈류속도
blood gas analysis	혈액가스분석
blood glucose meter	혈당측정기
blood hemoglobin	1.혈중 혈색소 2.혈중 헤모글로빈
blood perfusion	혈역관류
blood pressure	혈압
blood purification	혈액정화
blood sugar	혈당
blood transfusion	수혈
blood volume	혈액량

blood-brain barrier	혈액뇌장벽
blood-cerebrospinal fluid barrier	혈액뇌척수액장벽
bloodstream infection	혈류감염
blunt injury	무딘손상, 둔기손상
bobbing eye movement	찌운동안구움직임, 상하운동안구움직임
body	1.몸통, 체 2.소체, 체
body fluid	체액
body mass index (BMI)	신체비만지수, 신체질량지수
body temperature	체온
body water	체액, 체수분
bolus injection	대량주입
bone marrow	골수, 뼈속질
bone marrow transplantation	골수이식(술)
borderline	1.경계선 2.한계,경계 3.경계성
botulism	보툴리누스중독(증)
bougie-assisted intubation	부지-보조삽관
bowel motility	장운동
bowel obstruction	장폐색, 창자막힘
brachial artery	위팔동맥, 상완동맥
brachial artery cannulation	위팔동맥삽관술, 상완동맥삽입술
brachial plexus	팔신경얼기
Braden Scale	브래든욕창사정점수
bradyarrhythmia	느린부정맥, 서맥성부정맥

bradycardia	느린맥, 서맥
bradykinin	브라디키닌
brain	뇌
brain abscess	뇌고름집, 뇌농양
brain damage	뇌손상
brain death	뇌사
brain edema	뇌부종
brain function	뇌기능
brain herniation	뇌탈출증
brain natriuretic peptide (BNP)	뇌나트륨이뇨펩티드
brain tissue	뇌조직
brain tissue oxygen partial pressure	뇌조직산소분압
brain tissue oxygen tension	뇌조직산소압
brain trauma	뇌외상
brainstem auditory evoked potentials	뇌줄기청각유발전위
brainstem reflex	뇌줄기반사, 뇌간반사
branched-chain amino acids	분지사슬아미노산
breast cancer	유방암
breath	호흡
breathing	숨쉬기, 호흡
breathing pattern	호흡양상
breathing support	호흡보조
breathing system	호흡장치
breathing tube	호흡관

broad-spectrum antibiotic	광범위항생제
brochodilatation	기관지확장
bronchial arteriography	기관지동맥조영(술)
bronchial artery	기관지동맥
bronchial artery rupture	기관지동맥파열
bronchial aspergillosis	기관지아스페길루스증
bronchial asthma	기관지천식
bronchial carcinoid tumor	기관지카르시노이드종양
bronchial edema	기관지부종
bronchial necrosis	기관지괴사
bronchial obstruction	기관지폐쇄
bronchial secretion	기관지분비물
bronchial smooth muscle	기관지평활근
bronchial tuberculosis	기관지결핵
bronchial vein	기관지정맥
bronchiectasis	기관지확장(증)
bronchiole	세기관지
bronchiolitis	세기관지염
bronchiolitis obliterans	폐쇄기관지염
bronchoalveolar lavage (BAL)	기관지폐포세척
bronchoconstriction	기관지수축
bronchoconstrictor	기관지수축제
bronchodilator	기관지확장제
bronchofiberscope	굴곡기관지경, 기관지굽보개

broncholith	기관지결석, 기관지돌
bronchomalacia	기관지연화(증)
bronchopulmonary dysplasia (BPD)	기관지폐형성이상
bronchopulmonary segment	기관지허파구역, 기관지폐구역
bronchoscopic lung biopsy	기관지경폐생검술
bronchoscopic needle aspiration	기관지경 바늘흡인
bronchoscopy	기관지경술, 기관지보개술
bronchospasm	기관지연축
bronchus	기관지
Brown-Sequard syndrome	브라운-세카르증후군
brucellosis	브루셀라증
Brudzinski's sign	브루진스키징후
Brugada syndrome	브루가다 증후군
bruise	멍, 타박상
Brutons X-linked agammaglobulinemia	X연관 브루톤형무감마글로불린혈증
B-type natriuretic peptides	B형 나트륨이뇨펩티드
Budd-Chiari syndrome	버드-키아리 증후군
Buerger's disease	버거병
buffer	완충액, 완충제
buffer system	완충계
bulbar palsy	연수마비, 숨뇌마비
bulla	1.물집 2.큰공기집 3.융기
bullet wound	총상
bullous edema	물집성부종

bullous rash	물집발진, 수포발진
burn	화상
burn intensive care unit	화상중환자실
burst-suppression	돌발파억제

C1 esterase inhibitor deficiency	C1 에스테르분해효소 억제인자 결핍증
calcineurin	칼시뉴린
calcitonin	칼시토닌
calcitriol	칼시트리올
calcium	칼슘
calcium chloride	염화칼슘
calcium gluconate	글루콘산칼슘
calcium-channel blocker	칼슘통로차단제
caloric density	칼로리밀도
caloric test	온수눈떨림검사
cAMP phosphodiesterase inhibitor	고리AMP포스포디에스테라제억제제
candida esophagitis	식도칸디다증, 칸디다식도염
candida spp.	칸디다종
candidemia	칸디다혈증
candidiasis	칸디다증
candiduria	칸디다뇨증
cannon A wave	캐논 A파
capillary	모세(혈)관

capillary circulation	모세혈관순환
capillary leak	모세혈관누출
capillary network	모세혈관그물
capillary permeability	모세관투과성
capillary refill test	모세혈관재충만검사
capillary refill time	모세혈관재충만시간
capnometry/capnography	호기말이산화탄소분압측정법
captopril	캡토프릴
carbapenemase	카바페넴 분해효소
carbohydrate	탄수화물
carbon	탄소
carbon dioxide (CO_2)	이산화탄소
carbon dioxide exhaustion (CO_2 exhaustion)	이산화탄소소진
carbon monoxide	일산화탄소
carbon monoxide intoxication	일산화탄소중독
carbon monoxide poisoning	일산화탄소중독
carbonic anhydrase	탄산탈수효소
carboxyhemoglobin (COHb)	일산화탄소혈색소
cardiac arrest	심장정지
cardiac arrhythmia	심장부정맥
cardiac biomarker	심장표지자
cardiac care unit	심장계중환자실
cardiac catheterization	심장도관삽입, 심장카테터삽입
cardiac conduction	심장전도

cardiac filling pressure	심장충만압
cardiac function	심장기능
cardiac index	심장박출계수
cardiac inotropic agent	심장수축촉진제
cardiac murmur	심장잡음
cardiac myosin activator	심장근섬유활성제
cardiac output	심장박출량
cardiac pacemaker	심장박동조율기
cardiac surgery	심장외과
cardiac tamponade	심장눌림증
cardiogenic pulmonary edema	심장탓폐부종, 심장성폐부종
cardiogenic shock	심장탓쇼크, 심장성쇼크
cardiomegaly	심장비대
cardiomyopathy	심장근육병증, 심근병증
cardiopulmonary bypass	심장폐우회로
cardiopulmonary resuscitation (CPR)	심폐소생술
cardiopulmonary system	심폐계
cardiopulmonary-cerebral resuscitation (CPCR)	심폐뇌소생술
cardiovascular disease	심혈관질환
cardiovascular function	심혈관기능
cardiovascular system	심혈관계, 심혈관계통
cardioversion	심장율동전환
care	가료, 간호
caregiver	간병인

carotid artery	목동맥
carotid artery disease	목동맥질환
carotid atherosclerosis	목동맥죽상경화증
carotid body	목동맥토리
carotid sinus hypersensitivity	목동맥팽대과민성
carotid sinus massage	목동맥팽대마사지
cast	석고붕대
casualty	1.재해 2.사상자
catabolic phase	이화단계
catabolism	이화작용
catalase	과산화수소분해효소, 카탈라아제
catatonia	긴장증
catecholamine	카테콜라민
catecholaminergic polymorphic ventricular tachycardia	카테콜라민성다형심실빈맥
cathartic	1.설사- 2.설사제
catheter culture	카테터배양
catheter-associated infections	카테터연관감염
catheter-directed thrombolysis	카테터유도혈전용해
catheter-related bacteremia	카테터관련균혈증
catheter-related bloodstream infection	카테터관련혈류감염
catheter-related infection	카테터관련감염
cathode	음극
cation	양이온

cavernitis	해면체염
cavity	공간, 공동, 안, 강
cavity formation	공동형성
CD8 lymphocyte	CD8 림프구
celiac artery	복강동맥
cell	세포
cell injury	세포손상
cell membrane	세포막
cellular	세포-
cellular fluid	세포액
cellular signal transduction process	세포신호전달과정
cellulitis	연조직염
central compartment	중심 구획
central cord syndrome	중심척수증후군
central cyanosis	중심청색증
central diabetes insipidus	중추성요붕증
central herniation	중심뇌이탈
central line associated bloodstream infections (CLABSI)	중심정맥관관련혈류감염
central nervous system	중추신경계
central neurogenic hyperventilation	중추신경과다호흡
central pontine myelinolysis	중심성뇌교수초용해증
central respiratory drive	중추성호흡구동
central venous catheter	중심정맥카테터

central venous oxygen saturation ($ScvO_2$)	중심정맥혈산소포화도
central venous pressure (CVP)	중심정맥압
central ventilatory drive	중추성환기구동
cephalic vein	노쪽피부정맥, 요골측피부정맥
cephalosporin	세팔로스포린
cerebellar hemorrhage	소뇌출혈
cerebellar mutism	소뇌무언증
cerebral	대뇌-, 뇌-, 뇌성-
cerebral amyloid angiopathy	아밀로이드뇌혈관병증
cerebral autoregulation	대뇌 자동조절능
cerebral blood flow	뇌혈류
cerebral cortex	대뇌겉질, 대뇌피질
cerebral edema	뇌부종
cerebral emboli	뇌색전
cerebral infarction	뇌경색증
cerebral ischemia	대뇌허혈, 뇌경색
cerebral metabolic rate of oxygen ($CMRO_2$)	뇌산소대사량
cerebral microdialysis	대뇌미세투석법
cerebral oxygenation	뇌산소공급, 뇌산소화
cerebral perfusion pressure (CPP)	뇌관류압
cerebral pressure	뇌압
cerebral salt-wasting syndrome	뇌성염분소실증후군
cerebral sinus thrombosis	대뇌정맥동혈전증
cerebrospinal fluid analysis	뇌척수액검사

cerebrovascular	뇌혈관-
cerebrovascular disease	뇌혈관병, 뇌혈관질환
cerebrovascular resistance	뇌혈관 저항
cerebrum	대뇌
ceruloplasmin	세룰로플라스민
cervical spine	목뼈, 경추
cervico-ocular reflex	경부안구반사
channelopathies	채널병, 이온통로병증
Charcots artery	샤르코동맥
check valve	역류저지판막
chelate	킬레이트
chemical	화학-, 화학물질, 화학약품
chemical binding	화학적결합
chemical burn	화학화상
chemical injury	화학적손상
chemical lung injury	화학성폐손상
chemical mediator	화학매개체
chemical pneumonia	화학성폐렴
chemical reaction	화학적반응
chemical weapons	화학무기
chemoreceptor	화학수용체
chemotherapy	화학요법
chest	가슴, 흉부
chest compression	가슴압박, 흉부압박

chest computed tomography (chest CT)	흉부전산화단층촬영술
chest pain	흉통, 가슴통증
chest physiotherapy	호흡물리치료
chest radiograph	단순흉부방사선사진, 단순가슴방사선사진
chest trauma	가슴손상, 가슴외상, 흉부손상, 흉부외상
chest tube	가슴관, 흉관
chest tube insertion	가슴관삽입술, 흉관삽입술
chest wall	가슴벽, 흉벽
chest X-ray radiograph	흉부방사선사진
cheyne-stokes respiration	체인-스토크스호흡
chickenpox	수두
child abuse	어린이학대, 아동학대
chloride	염화물
chlorine	염소
cholecystectomy	쓸개(주머니)절제(술), 담낭절제(술)
cholecystitis	쓸개(주머니)염, 담낭염
cholecystostomy	쓸개창냄술, 담낭조루술
choledochostomy	온쓸개관창냄술, 총담관조루술
cholera	콜레라
cholestasis	쓸개즙정체, 담즙 정체
cholestatic jaundice	쓸개즙정체황달, 담즙정체황달

cholesterol emboliaztion syndrome	콜레스테롤색전증후군
cholesterol embolism	콜레스테롤색전증후군
cholinergic crisis	콜린작동성위기
cholinergic symptom	콜린성증상
cholinergic syndrome	콜린성증후군
cholinesterase inhibitors	콜린에스터라제 억제제
chronic	만성-
chronic asthma	만성천식
chronic bronchitis	만성기관지염
chronic disseminated intravascular coagulation	만성파종혈관내응고증
chronic hypoxia	만성저산소증
chronic inflammation	만성염증
chronic kidney disease	만성신장병
chronic liver disease	만성간질환
chronic lung allograft dysfunction	만성폐동종이식기능장애(부전)
chronic obstructive pulmonary disease (COPD)	만성폐쇄폐질환
chronic pulmonary disease	만성 폐질환, 만성 폐병
chronic renal failure	만성신부전, 만성콩팥기능상실
chronic respiratory failure	만성호흡부전
chronic rhinitis	만성코염, 만성비염
Chvostek's sign	크보스테크징후
chylopericardium	암죽심막(증), 유미심막(증)
chylothorax	암죽가슴(증), 유미흉
cilia	섬모, 속눈썹

ciliated functional disorder	섬모기능장애
cinchona alkaloids	기나나무 알칼리증, 기나피 알칼리증
cinchonism	키니네중독(증)
cingulate cortex	띠이랑겉질, 띠이랑피질
circle breathing system	순환호흡장치
circle system	순환회로
circulating volume	순환혈류량, 순환용적
circulation	순환
circulation, respiration, abdomen, motor, speech (CRAMS) scale	순환호흡배운동언어척도
circulatory failure	순환기능상실, 순환부전
circulatory shock	순환쇼크
circulatory support	순환보조
cirrhosis	경화(증)
classification	분류
clavicle	빗장뼈, 쇄골
clearance	1.청소, 제거 2.청소율, 제거율 3.틈새, 여유
cleft	1.틈, 틈새 2.갈림
clinical	진료-, 임상-
clinical course	임상경과
clinical manifestation	임상증상, 임상소견
clinical pulmonary infection score (CPIS)	임상폐감염점수

clinical study	임상연구
closed head injury	폐쇄 두부 손상
closed system	폐쇄회로
closed system (of ICU)	(중환자실) 폐쇄형시스템
closing capacity	폐쇄용적
clostridial infection	클로스트리듐 감염
clostridium difficile	클로스트리듐디피실레
clot	덩이, 떡
cluster breathing	군집호흡
CO_2 production	이산화탄소생성
coagulase-negative staphylococci (CNS)	응고효소음성 포도상구균
coagulation	응고
coagulation cascade	응고연쇄반응
coagulation disorder	응고장애
coagulation factor	응고인자
coagulation system	응고체계
coagulation-fibrinolysis system	응고-섬유소용해계
coagulopathy	응고병(증)
coarctation of aorta	대동맥축착
code status	소생술기대수준
cognitive disorder	인지장애
cognitive dysfunction	인지기능장애
cognitive impairment	인지장애
cognitive rehabilitation	인지재활

cold diuresis	한랭이뇨
cold injury	한랭손상
cold shock	한랭쇼크
cold stress	한랭스트레스
cold water caloric test (COWS)	온도눈떨림검사, 온도안진검사
colitis	1.잘록창자염, 결장염 2.대장염
collagen deposition	아교질침착, 콜라젠침착
collapse	1.허탈 2.붕괴
collateral	1.곁- 2.곁가지
colloid	콜로이드
colloid fluid	콜로이드용액, 교질용액
colloid osmotic pressure	교질삼투압
colon cancer	잘록창자암, 결장암
colonic flora	결장 균무리
colonic ileus	결장 폐색증
colonic ischemia	결장허혈
colonic pseudo-obstruction	결장거짓막힘, 결장거짓폐쇄
colonization	집락형성, 집락화
colonoscopy	대장내시경검사
coma	혼수
combination	1.조합, 배합 2.교배변이 3.병용
combined modality therapy	병용요법
combitube	콤비튜브
common bile duct injury	총담관손상, 온쓸개관손상

common bile duct mucosa 총담관점막, 온쓸개관 점막

common carotid artery 온목동맥

common cold symptom 감기증상

commotio cordis 심장진탕

community-acquired pneumonia 지역사회획득폐렴

community-acquired urinary tract infection 지역사회획득요로감염

compartment syndrome 구획증후군

compensated shock 보상쇼크

compensation 보상

compensatory anti-inflammatory response syndrome (CARS)
보상성항염증반응증후군

compensatory response 보상반응

competence 1.적격 2.능력 3.적임

complement 보체, 도움체

complement cascade 보체연쇄반응, 도움체연쇄반응

complement fixation reaction 보체결합반응

complete obstruction 완전폐색

complete supraventricular tachycardia 완전상심실성 빈맥

complex partial status epilepticus 부분복합경련중첩증

compliance 1.순응도, 2.탄성

compliance limitation 탄성한계

complicated urinary tract infection 복합요로감염

complication 합병증

compression venous ultrasonography 압박정맥초음파촬영술

computed tomography (CT)	컴퓨터단층촬영(술), 전산화단층촬영(술)
concealed conduction	잠복전도, 은폐전도
concentration	1.농축 2.농도 3.집중
conductance	전도도
conduction system	전도계
conflict of interest	이해관계충돌, 이해충돌
confusion	혼동, 착란, 혼란
Confusion Assessment Method for the ICU (CAM-ICU)	CAM-ICU congenital 선천-
congenital adrenal hyperplasia	선천부신과다형성, 선천콩팥위샘과다형성
congenital cardiac abnormality	선천심장기형
congenital deficiency	선천결핍, 선천결손(증)
congenital diaphragmatic hernia	선천성 가로막 탈장
congenital heart disease	선천심장병
congenital tracheal malacia	선천기관연화증
congestion	울혈, 충혈
congestive heart failure (CHF)	울혈심부전, 울혈심장기능상실
conjugate deviation	동향편위, 공동편위
conjugated bilirubin	결합빌리루빈
connective tissue	결합조직
consciousness	의식
consciousness disturbance	의식장애

constipation 변비

constriction 협착, 수축

constrictive pericarditis 협착심장막염

consumption 소비, 소모

consumption coagulopathy 소모성응고병(증)

contact dermatitis 접촉피부염

contact urticaria 접촉두드러기

continous ambulatory peritoneal dialysis 지속외래복막투석

continuous arteriovenous hemodialysis (CAVHD) 지속동정맥혈액투석법

continuous arteriovenous hemofiltration (CAVH) 지속동정맥혈액여과법

continuous flush device 지속분출장치

continuous infusion 지속주입

continuous intravenous infusion 지속정맥주입

continuous negative abdominal pressure (CNAP) 지속적복부음압

continuous positive airway pressure (CPAP) 지속기도양압

continuous venovenous hemodialysis (CVVHD) 지속정정맥혈액투석법

continuous venovenous hemofiltration (CVVH) 지속정정맥혈액여과법

contractility 1.수축력 2.수축성

contraction 수축

contracture 구축

contrast medium 조영제

contrast-induced acute kidney injury 조영제-유발 급성신장손상

contrast-induced nephropathy 조영제-유발 신장병증

control group 대조군

control system	제어장치
controlled mandatory ventilation (CMV)	조절필수환기
contusion	타박상
conus medullaris syndrome	척추원뿔증후군
convection	전도, 대류
convulsion	1.경련 2.발작
convulsive seizure	경련발작
convulsive status epilepticus	경련성경련증첩증
CO-oximeter	일산화탄소측정기
copper	구리, 동
cor pulmonale	폐심장증, 허파심장증
corneal reflex	각막반사
coronary	1.관상- 2.심장-
coronary arterial blood	심장동맥혈, 관상동맥혈
coronary arteriography	심장동맥조영(술), 관상동맥조영(술)
coronary artery	심장동맥, 관상동맥
coronary artery bypass graft	심장동맥우회술, 관상동맥우회술
coronary artery disease	심장동맥병, 관상동맥병
coronary blood flow	심장혈류, 관상혈류
coronary care unit	관상동맥집중치료실, 심장동맥집중치료실
coronary insufficiency	심장동맥혈저하, 관상동맥부전

coronary revascularization	심장동맥재개통(술), 관상동맥재개통(술)
correction	교정, 보정
corrugated tube	파형튜브, 잘룩튜브
cortex	겉질, 피질
cortical collecting duct	겉질집합관, 피질집합관
corticosteroid	겉질스테로이드, 코르티코스테로이드
corticotropin-releasing factor	부신겉질자극호르몬방출인자
corticotropin-releasing hormone (CRH)	부신겉질자극호르몬분비호르몬, 코르티코트로핀분비호르몬
cortisol	코티솔
cortisol-binding globulin	코티솔결합글로불린
cost analysis	비용분석
cost-effectiveness analysis	비용효과분석
costophrenic angle	갈비가로막각, 늑골횡격막각
costophrenic recess	갈비가로막각오목(골), 늑골횡격막각오목(골)
cough	기침
cough reflex	기침반사
counteraction	반대작용, 길항작용
coupling interval	연결간격
coxsackievirus B enterovirus	콕사키바이러스 B 유발 장염
coxsackievirus B pericarditis	콕사키바이러스 B 유발 심막염

cranial paradural abscess	뇌경막외농양
C-reactive protein (CRP)	C-반응 단백질
creatine kinase	크레아틴 키나아제
creatinine	크레아티닌
creatinine clearance	크레아티닌청소율
crepitus	비빔소리, 마찰음
creutzfeldt-jacob disease	크로이츠펠트-야코프병
cricothyroid membrane	반지방패막
cricothyroidotomy	윤상갑상연골절개(술)
cricothyroidotomy	반지방패연골절개술, 윤상갑상연골절개술
crimean-Congo hemorrhagic fever	크림콩고 출혈열
crisis	위기, 발작, 급통증
critical care teaching	중환자 치료 교육
critical illness	중증 질환
critical illness myopathy (CIM)	중증질환근육병증
critical illness neuromyopathy	중증질환신경근육병증
critical illness polyneuropathy (CIP)	중증질환다발신경병증
critical illness-related colonic ileus	중증질환관련장마비
critically ill patient	중환자
cross reaction	교차반응
cross-linked hemoglobin	교차결합혈색소
crossmatch	교차적합검사, 교차적합
cross-talk	누화, 간섭

crush injury syndrome	으깸손상증후군, 압궤손상증후군
cryoprecipitate	동결침전물
cryotherapy	냉동요법
cryptococcal meningitis	크립토코쿠스 뇌막염
cryptococcosis	크립토콕쿠스증
cryptococcus neoformans	크립토콕쿠스네오포르만스
cryptogenic organizing pneumonia	특발성기질화폐렴
crystalloid fluid	정질액, 결정질용액
crystalloid solution	정질액, 결정질용액
cuff	커프
cuff leak	공기낭 누출
cuff pressure	커프압력
cultural assessment	문화적 사정
cultural competence	문화적 적임, 문화적 적격
Curling's ulcer	컬링궤양(스트레스 궤양)
curved array probe	볼록면탐촉자
Cushing's disease	쿠싱병
cyanide	시안화물
cyanosis	청색증
cyanotic lesion	청색병변, 청색증병터
cycle ergonometer	자전거 에르고미터
cyclic adenosine monophosphate (cAMP)	고리형 AMP
cyclones	사이클론
cyclooxygenase (COX)	시클로옥시게나아제

cystatin C	시스타틴 C
cystic fibrosis	낭성섬유증
cystitis	방광염
cytochrome oxidase	시토크롬산화효소
cytochrome P-	시토크롬 P-
cytokine	시토카인
cytomegalovirus	거대세포바이러스
cytoplasm	세포질
cytosolic free calcium	세포질유리칼슘
cytotoxic brain edema	세포독성뇌부종
cytotoxic T cell	세포독성T세포

daily energy intake	일에너지 섭취
daily interdisciplinary round	일일다학제회진
damage control	손상통제
damage control surgery	손상통제수술
damage-associated molecular pattern (DAMP)	손상관련분자양식
damping	충격완화
danger space	위험공간
D-dimer	D-이합체
D-dimer assays	D-이합체 측정
dead space	무용공간, 사강
dead space ventilation	무용공간환기, 사강환기
death	사망, 죽음, 사, 사멸
decelerating flow pattern	감퇴유량형
decerebrate posture	대뇌제거자세, 제뇌자세
decerebrate rigidity	대뇌제거경축, 제뇌경축
decision making	의사결정
decompensated shock	비보상쇼크
decompression sickness	감압병
decorticate posturing	겉질제거자세, 피질제거자세

deep sulcus sign	깊은고랑사인
deep vein	깊은정맥, 심부정맥
deep venous thrombosis	깊은정맥혈전증, 심부정맥혈전증
deescalation	단계적 축소
de-escalation therapy	단계적 축소치료
defense mechanism	방어기전
defibrillation	세동제거, 잔떨림제거
defibrillator	세동제거기, 잔떨림제거기
defibrination syndrome	탈섬유소증후군, 탈피브린증후군
degenerative disease	퇴행병, 변성병
dehydration	탈수
delay	지연
delirium	섬망
delirium tremens	진전섬망, 떨림섬망
delivery	1.분만 2.제거 3.전달
delivery system	전달체계
dendrite	가지돌기, 수상돌기
dendritic cell	가지세포, 수지상세포
denitrogenation absorption atelectasis	탈질소화흡수성무기폐
density	밀도, 음영, 농도
depletion	고갈
depolarization	탈분극
depolarizing phase	탈분극기

deposition	침착, 침전
depressed skull fracture	함몰머리뼈골절, 함몰두개골골절
descending necrotizing mediastinitis	내림(하행)괴사종격동염
descending thoracic aorta replacement	내림(하행)대동맥대치술
desmopressin (DDAVP)	데스모프레신
developmental venous anomaly	발달 정맥이상
diabetes insipidus	요붕증
diabetes mellitus	당뇨병
diabetic coma	당뇨병혼수
diabetic ketoacidosis (DKA)	당뇨병케톤산증
diagnosis	진단
diagnostic criteria	진단기준
diagnostic examination	진단적검사
diagnostic peritoneal lavage (DPL)	진단복막세척
dialysis	투석
dialyzer	투석기
diameter	지름, 직경, 거리
diaphragm	1.가로막,횡경막 2.격판,격막 3.조리개
diaphragmatic hernia	가로막탈장, 횡경막탈장
diaphragmatic paralysis	횡경막마비
diarrhea	설사
diastole	1.확장 2.확장기

diastolic dysfunction	확장기기능장애
diastolic phase	확장기
diastolic pressure	확장기압
diencephalic pupils	사이뇌동공, 간뇌동공
Dieulafoy's lesion	듀라포이 병변
differential diagnosis	감별진단
differential time to positivity	혈액배양 양성시간 차이
differentiation	분화
difficult airway	어려운기도
diffuse alveolar disease	광범위폐포질환
diffuse alveolar hemorrhage	광범위폐포출혈,미만폐포출혈
diffuse axonal injury	광범위 축삭손상, 미만축삭손상
diffuse encephalopathy	광범위 뇌병증
diffuse pulmonary disease	광범위폐질환, 미만폐질환
diffusion	확산, 퍼짐
diffusion disturbance	확산장애
diffusion impairment	확산장애
diffusion-weighted imaging	확산강조영상
DiGeorge syndrome	디조지증후군
digital subtraction angiography	디지털감산혈관조영(술), 디지털배경감소혈관조영(술)
digitalis	디기탈리스
digoxin	디곡신
dihydropyridine	다이하이드로피리딘

dilated cardiomyopathy (DCMP)	확장심장근육병(증), 확장심근병(증)
dilution	희석, 묽힘
dilutional coagulopathy	희석 응고병증
dilutional hyponatremia	희석저나트륨혈증
diphosphoglycerate	디포스글리세레이트
diphtheria	디프테리아
dipping eye movement	딥핑안구운동
direct laryngoscopy	직접후두경
direct thrombin inhibitors	직접트롬빈억제제
direct-current cardioversion	직류심장율동전환
disaster	재해, 재앙, 참사
disaster planning	재난계획
discrimination	식별, 분별, 판별
disease	병, 질병, 질환
disequilibrium syndrome	불균형증후군
dislodegment	강제이탈
disopyramide	디소피라마이드
dissection phase	박리기
disseminated intravascular coagulation (DIC)	파종혈관내응고
disseminated tuberculosis	파종결핵
dissociation	1.해리 2.분리
dissolved oxygen	용해산소
distal convoluted tubule	먼쪽곱슬세관, 원위곡세관

distal nephron	원위콩팥단위, 원위네프론
distal renal tubular acidosis	원위콩팥요세관산증, 원위신세관산증
distribution	1.분포 2.분배 3.유통
distribution phase	분포기
distributive shock	분포쇼크
diuresis	이뇨
diuretic	1.이뇨- 2.이뇨제
diverticulosis	곁주머니증, 게실증
D-lactic acidosis	D-젖산산증
do not resuscitate (DNR)/do not attempt resuscitation (DNAR)	소생술포기
dobutamine	도부타민
doll's eye reflex	인형눈반사
doll's-eyes maneuver	인형눈조작
donation after cardiac death	심장사후기증
donation after circulatory death (DCD)	심정지후기증
donor-specific antibodies	제공자특이항체, 공여자특이항체
dopamine	도파민
dopamine-hydroxylase	도파민-수산화효소
Doppler ultrasound	도플러초음파
dorsal	1.등쪽-, 등- 2.후방-
dorsal lung	등쪽폐
dorsalis pedis artery	발등동맥, 족배동맥

dorsalis pedis artery cannulation	발등동맥관삽입(술), 족배동맥관삽입(술)
dosage	1.용량, 투여량 2.선량, 조사량
double aortic arch	이중대동맥궁
double blind test	이중맹검검사
double bubble sign	이중방울징후
double distilled water	재증류수
double lumen endotracheal tube	이중내강기관내관
double-triggering	이중유발, 이중방아쇠, 이중촉발자
down syndrome	다운증후군
drainage	1.배출, 배액(술) 2.배농(술)
drainage tube	배액관
Dressler's syndrome	드레슬러증후군
driving pressure	구동압력
drowning	익사
drug	1.약, 약물 2.약제
drug delivery system	약물전달체계
drug interaction	약물상호작용
drug intoxication	약물중독
drug overdose	1.약물과량투여 2.약물과량
drug therapy	약물요법
drug-resistant tuberculosis	약제내성결핵
dry air	마른공기

dry atmospheric pressure	건조대기압
duodenal trauma	십이지장외상, 샘창자외상
dye dilution method	색소희석법
dynamic	동적-, 동력적-, 역동적-
dynamic airflow limitation	동적기류제한
dynamic arterial elastance	동적동맥탄성도
dynamic gas trapping	동적가스걸림
dynamic hyperinflation	동적과다팽창
dynamic lung compliance	동적폐탄성, 동적폐유순도
dysentery	이질
dysfunction	기능이상, 기능장애
dyshemoglobin	이형혈색소
dysphagia	삼킴곤란, 연하곤란
dysphasia	언어장애(증)
dysphoria	불쾌감
dyspnea	호흡곤란
dysrhythmias	1. 리듬장애, 율동장애 2. 심장박동장애, 심박장애

E

early	초기-, 조기-
early ambulation	조기보행
early goal directed therapy (EGDT)	조기목표지향치료
early mobilization	조기가동화
early repolarization	조기재분극
early repolarization syndrome	조기재분극증후군
ebb phase	썰물기, 쇠퇴기
Ebola virus	에볼라바이러스
echinococcal cyst	포충낭
echocardiogram	심(장)초음파상, 심(장)에코사진
echocardiography	심(장)초음파검사, 심(장)초음파(술)
eclampsia	자간
edema	부종
effect	효과
effective circulating volume	유효순환용적
efferent	날-, 원심-, 수출-
effluent	1.유출, 유출액 2.방류수
ehrlichiosis	에르리히증

eicosanoid	아이코사노이드
ejection fraction	박출률, 박출분율
ejection phase	박출기
ejector	분출기, 배출기
elastic recoil	탄력반동, 탄력반발
elastic recoil pressure	탄력반동압
elastic tissue	탄력조직
elasticity	1.탄성 2.탄력성
elective operation	예정수술
electric shock	전기쇼크
electrical bioimpedance	전기생체 저항(임피던스)
electrical dyssynchrony	전기 비동기화
electrical impedence tomography (EIT)	전기 임피던스 영상법
electrical injury/burn	전기손상
electrical physiologic study	전기생리학검사
electrocardiogram	심전도
electrocardiography	심전도법
electrocautery	1.전기지짐기 2.전기지짐(술)
electroencephalography (EEG)	뇌파검사(법)
electrolyte	전해질
electromagnetic interference (EMI)	전자기간섭
electromechanical dissociation	전기기계해리
electromyography (EMG)	근전도검사(법)
electron microscope	전자현미경

electron reduction	전자환원
electron transport	전자전달
electrophysiology	전기생리학
elimination phase	제거기
embolectomy	색전제거(술)
embolism	색전증
embolization	1.색전형성 2.색전술
emergency	응급, 긴급
emergency care	응급의료, 응급처치
emergency operation	응급수술
emergency room	응급실
EMP pathway	EMP 경로
emphysema	1.공기증, 기종 2.폐기종, 폐공기증
encephalitis	뇌염
encephalopathy	뇌병(증)
end stage renal disease (ESRD)	말기신부전
end-expiratory	호기말, 날숨끝
end-inspiratory	흡기말, 들숨끝
endobronchial intubation	기관지내삽관
endobronchial tube	기관지내관
endobronchial ultrasound	기관지내초음파
endocarditis	심(장)내막염
endocrine	1.내분비- 2.호르몬-

endocrine system	내분비계통, 내분비계
endocytosis	세포내섭취, 엔도시토시스
endomyocardial biopsy	심내막심(장)근(육)생검
endoplasmic reticulum	세포질그물, 세포질세망
end-organ disease	종말기관질환
endoscope	내시경
endoscopic retrograde cholangiopancreatography (ERCP)	내시경역행쓸개이자조영(술), 내시경역행담췌관조영(술)
endoscopy	1.내시경검사 2.내시경술
endothelial adhesion molecules	내피부착분자
endothelial cell	내피세포
endothelial nitric oxide synthase	내피세포 질산화물 합성효소
endothelin receptor antagonists	내피세포 수용체 길항제
endothelium	내피
endotoxin	내독소
endotracheal	1.기관내- 2.기관경유-
endotracheal carcinoid	기관내카르시노이드
endotracheal intubation	기관내삽관
endotracheal tube	기관내관
endotracheal tube cuff	기관내기낭
end-stage heart failure	말기심부전
end-stage liver disease	말기간질환
end-stage lung disease	말기폐질환

end-stage organ disease	말기장기질환
end-stage renal disease (ESRD)	말기콩팥병, 말기신장병
end-tidal carbon dioxide ($ETCO_2$)	호기말 이산화탄소
energy expenditure	에너지소비
energy metabolism	에너지대사
energy source	에너지원
engraftment syndrome	생착증후군
enteral nutrition	장관영양
enteric nervous system	장관신경계
enterobacteria	장내세균
enterococcus	창자알균, 장구균
enterocutaneous fistula	창자피부샛길, 장피부누공
enteroviral bronchiolitis	엔테로바이로스 세기관지염
enterovirus	엔터로바이러스(속)
entrainment	유입
enzyme	효소
eosinophilic gastroenteritis	호산구위장염
eosinophilic meningitis	호산구뇌염
eosinophilic myocarditis	호산구심근염
eosinophilic pneumonia	호산구폐렴
eosinophilic structure	호산성물질
epiaortic ultrasound	대동맥외막초음파
epididymitis	부고환염
epidural	경질막바깥-, 경막외-

epidural abscess	경질막밖고름집, 경막외농양
epidural analgesia	경질막바깥진통, 경막외진통
epidural hematoma	경질막바깥혈종, 경막외혈종
epiglottis	후두덮개, 후두개
epiglottitis	후두덮개염, 후두개염
epilepsia partialis continua	부분간질지속증
epilepsy	뇌전증, 간질
epileptic seizure	간질발작
epinephrine	에피네프린
epinephrine-induced arrhythmia	에피네프린유발 부정맥
epistaxis	코피, 비출혈
epithelial cell	상피세포
epstein-Barr virus	엡스타인-바바이러스
equation of regression	회귀방정식
equipment	장치
Ergot alkaloids	에르고트 알칼로이드, 맥각 알칼로이드
erosion	1.미란 2.까짐, 짓무름
erysipelas	얕은연조직염, 단독
erythrocyte	적혈구
eschar	괴사딱지, 가피
escharotomy	괴사딱지절개(술), 가피절개(술)
escherichia coli	대장균
esophageal balloon tamponade	식도풍선눌림술(압착술)

esophageal cancer	식도암
esophageal intubation	식도내삽관
esophageal varices	식도정맥류
esophageal-tracheal combitube	식도기관삽관튜브
esophagitis	식도염
esophagogastroduodenoscopy	식도위내시경검사(법)
esophagus	식도
essential hypertension	본태고혈압
estimated normal value	추정 정상치
estrogen	에스트로겐
ethanol syndrome	에탄올증후군
ethylene glycol poisoning	에틸렌 글리콜 중독
etiology	1.병인, 원인 2.병인론, 병인학
eucapnia	1.정상이산화탄소혈증 2.정상호흡
euglycemia	정상혈당
evidence-based medicine	증거중심의학, 증거바탕의학
evidence-based practice	증거중심진료, 증거바탕진료
evoked potentials	유발전위
excitation contraction coupling	흥분수축결합
excitotoxicity	흥분독성
excitotoxin antagonist	흥분독소길항제
excretion	1.배설 2.배설물
exercise tolerance	운동내성

exercise-induced disorders	운동유발질환
exertional dyspnea	운동성호흡곤란
exhaustion	1.탈진, 소진 2.배기
exocytosis	세포외배출, 엑소시토시스
exotoxin	외독소
expansion	1.확대, 팽창 2.확대부, 팽창부
expenditure	소비량, 경비, 지출, 비용
expiration	1.날숨, 호기 2.만기 3.사망
expiratory flow rate	호기유량, 날숨유량
expiratory obstruction	호기폐쇄, 날숨폐쇄
expiratory phase time	날숨시간, 호기시간
expiratory trigger	날숨유발, 호기유발
expired gas	호기가스
exposure	1.노출 2.조사 3.조사선량 4.폭로 5.피폭
exposure time	노출시간, 폭로시간
external carotid vein	바깥목정맥, 외경정맥
external compression	외부압박
external respiration	바깥호흡, 외호흡
external wall	외벽
extracellular fluid	세포바깥액, 세포외액
extracellular volume	세포바깥용적, 세포외용적
extracorporeal carbon dioxide removal (ECCO_2R)	체외막형 이산화탄소 제거

extracorporeal cardiopulmonary resuscitation
체외막산소화장치를 이용한 심폐소생술
extracorporeal circulation 체외순환, 몸밖순환
extracorporeal gas exchange 체외가스교환
extracorporeal life support 체외소생술
extracorporeal membrane oxygenation (ECMO) 체외막산소공급
extraglottic airway 성문외기도기
extrapulmonary 허파바깥-, 폐외-
extrathoracic airway 흉곽외기도
extrathoracic airway resistance 흉곽외기도저항
extrathoracic artery 흉곽외동맥
extravascular lung water 혈관외폐내수분
extraventricular drainage (EVD) 뇌실외배액(술)
extremity 1.팔다리, 사지 2.끝, 단
extrinsic pathway 외인성경로
extrinsic positive end expiratory pressure (PEEP) 적용호기말양압
extubation 관제거, 발관
exudative stage 삼출기
exudatory secretion 삼출설분비물

face	얼굴, 안면
facial trauma	안면외상
factor	1.인자 2.요인 3.계수
failed intubation	기관삽관실패
failure	기능상실, 부전
failure modes and effects analysis (FMEA)	고장유형 및 영향분석
fainting	실신, 기절
Fallot tetralogy	팔로사징후
false-negative	거짓음성, 가음성
familial hypocalciuric hypercalcemia	가족성 저칼슘뇨성 고칼슘혈증
familial hypomagnesemia	가족성 저마그네슘혈증
family engagement	보호자 개입
Fasciotomy	근막절개(술)
fast lung unit	빠른폐단위
fast-flush test	신속관류검사
fat	지방
fat embolism	지방색전증
fat embolism syndrome	지방색전증후군
fatal	치명적-, 치사-

fatality rate	치명률
fatigability	피로(증)
fatty acid	지방산
fatty acid-binding proteins	지방산 결합 단백질
feedback	되먹임
feeding tubes	식이관
female	1.여성 2.암컷
femoral artery	대퇴동맥
femoral vein	대퇴정맥
fetal-maternal intensive care unit	태아산모 집중치료실
fetus	태아
fever	열
fiber	1. 섬유 2. 세포
fiberoptic bronchoscopic intubation	굴곡기관지경을 이용한 기관내삽관술
fiberoptic bronchoscopy	굴곡기관지경술, 기관지굽보개술
fiberoptic fiber	유리섬유
fibrin	섬유소, 피브린
fibrin aggregation	섬유소응집
fibrin degradation	섬유소분해
fibrin degradation product (FDP)	섬유소분해산물, 피브린분해산물
fibrinogen	섬유소원, 피브리노겐
fibrinogen degradation products product	섬유소원분해산물
fibrinolysis	섬유소용해, 피브린용해

fibrinolytic activity	섬유소용해능
fibrinous exudate	섬유소삼출액
fibroblast	섬유모세포
fibroblast growth factor	섬유모세포성장인자
fibrocystic disease	섬유낭병
fibronectin	섬유결합소
fibrosing alveolitis	섬유성폐포염
fibrosis period	섬유화기
fibrous membrane formation	섬유막형성
fick principle	fick 원리
filtration	여과, 거르기
finger	손가락
first-degree atrioventricular block	1차 방실차단
first-pass effect	초회 통과 효과
fistula	샛길, 루, 누공
flail chest	동요가슴
flat	편평-, 납작-
flexible bronchoscope	굴곡기관지경, 기관지굽보개
flow	1. 흐름, 류, 유동 2. 유량
flow asynchrony	유량비동기
flow generator pump	혈류생성펌프
flow phase	밀물기, 유량기
flow rate	유속, 유량
flow restriction	기류제한

flow triggering	기류유발
flow tube	유량관
flow velocity	흐름속도, 유속
flow volume curve	유량용량곡선
flu	플루, 인플루엔자
fluctuation	1.변동, 기복 2.요동
fluid	1.액, 액체 2.체액 3.수액, 수
fluid management	수액치료
fluid overload	수액과다
fluid shift	체액변위
fluid therapy	수액치료
fluorocarbon (teflon)	플루오로카본, 불소화탄소(테프론)
fluoroquinolone	플루오로퀴놀론, 불소화퀴놀론
fluoroscopy	투시검사
foam cell	거품세포
focal neurologic deficits	국소신경학적병변
focused abdominal sonography for trauma (FAST)	외상초음파
focused cardiac ultrasound exam	초점형심초음파진찰
fontan circulation	폰탄순환
foramen	구멍, 공
foramen of Monro	몬로공
forced expiratory volume (FEV)	노력날숨폐활량, 강제호기량
forced expiratory volume in 1 second (FEV1)	일초간 강제날숨폐활량

forced vital capacity (FVC)	강제폐활량
formic acid	포름산, 개미산
Fournier's gangrene	프르니에 괴저
fraction concentration	분율농도, 분획농도
fraction in inspired oxygen (FIO_2)	흡입산소분율
fractional excretion of sodium (FENA)	나트륨 분획배설
fractional shortening	분획단축률
fracture	1. 골절 2. 파절
fragmented erythrocyte	조각적혈구, 분열적혈구
free calcium	유리 칼슘
free fatty acid	유리지방산
free triiodothyronine index	유리삼요오드티로닌 지수
fresh frozen plasma (FFP)	신선냉동혈장
full face mask	안면마스크
fulminant hepatic failure	전격간기능상실
fulminant myocarditis	전격심근염
fume	증기
functional adrenal insufficiency	기능성 부신 부전
functional residual capacity (FRC)	기능잔기용량
fungal infection	진균감염
fungal meningitis	곰팡이뇌막염
fungal pericarditis	진균심낭염
fungal sinusitis	곰팡이코곁굴염, 진균부비동염
fungi	곰팡이, 진균

furosemide	푸로세미드
fusion beat	융합박동
futility	무익, 무용

gag reflex	구역 반사
gag response	구역 반응
galactomannan	갈락토만난
galactosemia	갈락토오스혈증
galactosuria	갈락토오스뇨
gallbladder	쓸개, 담낭
gallbladder empyema	담낭고름집
gallium nitrate	갈륨 질산염
gallstone	쓸개돌, 담석
gamma camera	감마카메라
gamma globulin	감마글로불린
gamma-aminobutyric acid	감마아미노부티르산
ganglioside	강글리오시드
gas	가스
gas exchange	가스교환
gas flow	1. 가스흐름 2. 가스유량
gas gangrene	가스괴저
gas inlet pressure	가스유입압
gas supply	가스공급

gas trapping	가스걸림
gas volume	가스용적
gastric acid aspiration	위산흡인
gastric content	위내용물
gastric emptying	위배출시간
gastric fluid aspiration	위액흡인
gastric intramucosal pH (pHi)	위점막내산도
gastric residual volume	위내 잔류량(위 잔류량)
gastroenteritis	위창자염, 위소장염, 위장염
gastroesophageal reflux	위식도역류
gastrointestinal bleeding	위장관출혈
gastrointestinal decontamination	위장관오염제거
gastrointestinal lavage	위장관세척
gastrointestinal system	위장관계
gastrointestinal tract atrophy	위장관계 위축
gastroparesis	위마비
gauging	계량
gelatin	젤라틴
general anesthesia	전신마취
general condition	전신상태
general intensive care unit	일반중환자실
generalized convulsive status epilepticus	전신경련성경련중첩증
generalized edema	전신부종
generalized inflammatory reaction	전신염증반응

generalized motor seizures	전신운동발작
generalized muscle weakness	전신 근력약화
generalized seizures	전신발작, 대발작
genioglossus muscle	턱끝혀근, 이설근
genitourinary system	비뇨생식계
genitourinary tuberculosis	비뇨생식기계 결핵
geriatric	노인의학-
gestational hypertension	주산기고혈압
giant aortic Aneurysm	거대대동맥류
giant cell myocarditis	거대세포심근염
giant hemangioma	거대혈관종
Gitelman syndrome	지텔만 증후군, 기텔만 증후군
gland	샘, 선
glasgow coma scale	글래스고혼수척도
glasgow outcome scale	글래스고결과점수
glial fibrillary acidic protein	아교세포섬유산성단백질, 교섬유산성단백질
glioblastoma	아교모세포종, 교모세포종
glomerular disease	토리병, 사구체질환
glomerular filtration rate	토리여과율, 사구체여과율
glomerulonephritis	토리콩팥염, 사구체신(장)염
glomerulus filtration	토리거르기, 사구체여과
glossopharyngeal nerve	혀인두신경
glottic closure	성대문폐쇄

glottic edema	성문부종
glottis	성대문, 성문
glucagon	글루카곤
glucagon-like peptide	글루카곤유사펩티드
glucocorticoid	글루코코르티코이드
gluconeogenesis	포도당신합성, 글루코스신합성
glucose	포도당, 글루코스
glucose intolerance	포도당못견딤(증), 포도당불내성
glutamate	글루탐산염
glutamate dehydrogenase	글루탐산탈수소효소
glutamine	글루타민
glutathione peroxidase	글루타티온과산화효소
glycemic control	당뇨 조절
glycerol	글리세롤
glycoaldehyde	글라이코알데하이드
glycocalyx	당질층
glycogen storage disease	글리코겐축적병, 당원축적병
glycogenolysis	글리코겐분해
glycolic acid	글리콜산
glycolysis	해당작용
glycoprotein IIb/IIIa antagonists	당단백질 Iib/IIIa 대항제, 맞버팀제
glycosuria	당뇨
gnathostomiasis	턱구충증
Goodpasture's syndrome	굿파스처증후군

graft dysfunction	이식편부전
graft-versus-host disease (GVHD)	이식편대숙주병
gram negative endotoxemia	그람음성내독소혈증
gram negative sepsis	그람음성패혈증
gram positive sepsis	그람양성패혈증
gram-negative bacteria	그람음성균
gram-positive bacteria	그람양성균
granulation tissue	육아조직
granulocyte	과립백혈구
granulocytosis	과립백혈구증가증
granuloma	육아종
gravity	중력
gravity dependant zone	중력의존부위
greater saphenous vein	큰두렁정맥
ground fault circuit interrupter (GFCI)	접지누전회로차단기
grounding	접지
grounding system	접지장치
growth hormone	성장호르몬
growth hormone deficiency	성장 호르몬 결핍증
growth hormone-releasing hormone (GHRH)	성장호르몬방출호르몬
guide wire	유도철사
Guillain-Barré syndrome	길랭-바레증후군
gum hypertrophy	잇몸비대
gunshot wounds	총상

HACEK group	Haemophilus, Aggregatibacter, Cardiobacterium, Eikenella, Kingella
haemophilus influenzae	인플루엔자균
half-life	반감기
halo rings	달무리환
halo sign	달무리징후
Hamman's sign	하만징후
hanta fever	한타열
hantavirus	한타바이러스(속)
hantavirus pulmonary syndrome	한타바이러스폐증후군
haptoglobin	합토글로빈
hazard	1.위험 2.재해
hazard vulnerability analysis	위험취약성분석
head	1.머리, 두 2.갈래
head and neck infections	두부 및 목 감염
head trauma	머리손상, 두부외상
headache	두통
healing process	치유과정

health care system	보건의료체계
healthcare workers	의료종사자
heart	심장, 심
heart block	심장차단
heart disease	심장병
heart failure	심장기능상실, 심부전
heart rate	심장박동수, 심박수
heart valve disorders	심장판막장애
heart-lung transplantation	심장폐이식
heat conduction	열전도
heat stress illness	열스트레스질병
heat stroke	열사병
heated moisture exchangers	열습도교환기
Heimlich maneuver	하임리히수기
heliox	헬리옥스
HELLP (hemolysis, elevated liver enzyme levels, and low platelet levels) syndrome	HELLP 증후군
hematocrit	적혈구용적률, 헤마토크리트
hematologic system	혈액계
hematoma	혈종
hematopoietic cell transplantation	조혈세포이식, 혈구형성세포이식
hematopoietic stem cell transplantation	조혈모세포이식, 조혈줄기세포이식

hematuria	혈뇨
heme	헴
hemicraniectomy	반머리(뼈)절제술, 반두개절제(술)
hemispheric index	대뇌반구지수
hemithorax	반측흉곽
hemobilia	혈액담즙(증), 쓸개길출혈
hemodialysis	혈액투석
hemodilution	혈액희석(법)
hemodynamic instability	혈역학불안정
hemodynamic monitoring	혈역학감시, 혈역학모니터링
hemodynamic stability	혈역학안정
hemodynamics	혈류역학
hemofiltration	혈액여과, 혈액거르기
hemoglobin (Hb)	혈색소, 헤모글로빈
hemoglobin content	혈색소함량
hemoglobinuria	혈색소뇨, 헤모글로빈뇨
hemolytic anemia	용혈빈혈
hemolytic transfusion reaction	용혈수혈반응
hemolytic uremic syndrome	용혈요독증후군
hemopericardium	혈액심장막, 혈심낭
hemophagocytic lymphohistiocytosis	적혈구포식성림프조직구증식증
hemophilus influenzae B	B형인플루엔자균
hemopneumothorax	혈액기흉
hemoptysis	객혈

hemorrhage	출혈
hemorrhagic fever with renal syndrome (HFRS)	출혈열콩팥증후군, 출혈열신증후군
hemorrhagic shock	출혈쇼크
hemorrhagic vesicle	출혈성수포
hemostasis	지혈
hemostatic failure	지혈기능상실
hemostatic mechanism	지혈기전
hemothorax	혈액가슴, 혈흉
Hendra virus	헨드라바이러스
Henry's law	헨리법칙
heparin	헤파린
heparin-induced thrombocytopenia	헤파린유발혈소판감소증
hepatectomy	간절제(술)
hepatic cirrhosis	간경화(증)
hepatic coma	간성혼수
hepatic dysfunction	간기능이상
hepatic encephalopathy	간뇌병(증)
hepatic enzyme system	간효소계
hepatic failure	간기능상실, 간부전
hepatic function	간기능
hepatic hydrothorax	간수흉증
hepatic veín wedge pressure	간정맥쐐기압
hepatitis	간염

hepatobiliary scan	간담도스캔, 감담도정밀검사
hepatobiliary system	간담도계
hepatocellular carcinoma	간세포암종
hepatocytes	간세포
hepatoma	간암
hepatomegaly	간비대
hepatopulmonary syndrome	간폐증후군
hepatorenal section	간콩팥단면, 간콩팥구획
hepatorenal syndrome	간콩팥증후군
Hepatorenal tyrosinemia	간콩팥티로신혈증
hereditary	유전-
hereditary factor	유전요인
hereditary fructose intolerance	유전과당불내성, 유전과당못견딤(증)
hERG gene	hERG유전자
herpes B virus	헤르페스B바이러스
herpes simplex	단순포진, 단순헤르페스
herpes zoster	대상포진, 띠헤르메스
high altitude pulmonary edema	고지대폐부종
high concentration	고농도
high dosage	고용량
high flow	고유량
high flow nasal cannula	고유량비강캐뉼라, 고유량콧구멍삽입관

high frequency ventilation (HFV)	고빈도환기
high probability	고확률
high resolution computed tomography (HRCT)	고해상컴퓨터단층촬영(술)
high risk	고위험
high-flow system	고유량계
high-frequency chest compressions	고빈도흉부압박
high-frequency oscillatory ventilation	고빈도진동환기
His bundle	히스다발
His-Purkinje system	히스-푸르킨예 체계
Histoplasma	히스토플라스마(속)
Histoplasmosis	히스토플라스마증
home ventilator	가정용환기기, 가정용인공호흡기
homeostasis	항상성
homogeneous	균질-, 동질-
hormone	호르몬
hospital-acquired pneumonia (HAP)	원내폐렴
host	숙주
Howell-Jolly bodies	하월-졸리 소체
human herpesvirus-6	사람헤르페스바이러스-6
human herpesvirus-8	사람헤르페스바이러스-8
human immunodeficiency virus (HIV)	사람면역결핍바이러스
human leucocyte antigens	사람백혈구항원
human metapneumovirus	인간메타뉴모바이러스
human T-lymphotropic virus type-1	사람T세포림프친화바이러스1형

humidification	가습
humoral	체액-
humoral factor	체액요인, 체액인자
humoral hypercalcemia	사람고칼슘혈증
humoral substance	체액물질
Hunt and Hess classification scale	헌트 및 헤스 척도
hyaline membrane	유리질막
hyaline membrane disease	유리질막병
hyaline membrane formation	유리질막형성
hydralazine	히드랄라진
hydraulic equation	수력학방정식
hydrocephalus	물뇌증, 수두증
hydrochloric acid	염산
hydrochlorothiazide	하이드로클로로타이아자이드
hydrocolloids	수성콜로이드
hydrocortisone	히드로코르티손
hydrofluoric acid	불화수소산
hydrogen cyanide	시안화수소
hydrogen peroxide (H_2O_2)	과산화수소
hydronephrosis	수신증, 물콩팥증
hydrostatic pressure	정수압
hydrostatic pulmonary edema	압력성폐부종
hydroxyethylstarch (HES)	하이드록시에틸전분
hydroxyl radical	히드록실라디칼

hyoid bone	목뿔뼈, 설골
hyperactive airway disease	과항진성기도질환, 활동항진성기도질환
hyperactive delirium	과잉활동섬망
hyperagglutination	고응집
hyperaldosteronism	고알도스테론증
hyperalgesia	통각과민(증)
hyperammonemia	고암모니아혈증
hyperamylasemia	고아밀라아제혈증
hyperbaric chamber	고압방
hyperbaric medicine	1.고압의학 2.고압요법
hyperbaric oxygen	고압산소
hyperbaric oxygen treatment	고압산소치료
hyperbilirubinemia	고빌리루빈혈증
hypercalcemia	고칼슘혈증
hypercalciuria	고칼슘뇨
hypercapnia	고탄산혈증
hypercapnic respiratory failure	고탄산혈증호흡부전, 고탄산혈증호흡기능상실
hypercapnic respiratory insufficiency	고탄산혈증호흡기능부전
hypercarbia	고탄산혈증
hyperchloremia	고염소혈증
hyperchloremic acidosis	고염소혈산증
hyperchloremic metabolic acidosis	고염소혈대사산증

hypercoagulability	응고항진성
hyperdynamic circulation	과역동순환
hyperdynamic circulatory shock	과역동순환쇼크
hyperdynamic syndrome	과역동증후군
hyperglobulinemia	고글로불린혈증
hyperglycemia	고혈당(증)
hyperglycemic osmotic diuresis	고혈당삼투성이뇨
hyperinflation	과다팽창
hyperinsulinemia	고인슐린혈증
hyperinsulinemic hypoglycemia	고인슐린혈증저혈당
hyperkalemia	고칼륨혈증
hyperkalemic familial periodic paralysis	고칼륨혈증가족주기마비
hyperkalemic renal tubular acidosis	고칼륨혈증콩팥뇨세관산증
hyperlactatemia	고젖산혈증
hyperlipidemia	고지질혈증
hypermagnesemia	고마그네슘혈증
hypermetabolism	대사과다증
hypernatremia	고나트륨혈증
hyperosmolar hyperglycemic nonketotic syndrome	고삼투성고혈당비케톤산증후군
hyperosmolar nonketotic coma	고삼투성비케톤성혼수
hyperoxia	고산소혈증
hyperparathyroidism	부갑상샘항진증, 부갑상선항진증

hyperphosphatemia	고인산혈증
hyperpnea	과다호흡, 호흡항진
hypersecretion	과다분비, 과분비
hypertension	1.고혈압 2.고혈압증 3.고압
hypertensive crisis	고혈압위기
hypertensive emergency	고혈압응급
hypertensive encephalopathy	고혈압뇌병(증)
hypertensive urgency	고혈압절박
hyperthermia	1.고열, 고체온 2.온열치료
hyperthyroidism	갑상샘항진(증), 갑상선항진(증)
hypertonic saline	고장식염수
hypertonic solution	고장액
hypertonicity	1.근육긴장항진(증), 2.고장성
hypertriglyceridemia	고중성지방혈증
hypertrophic cardiomyopathy	비대심장근육병(증), 비대심근병(증)
hypertrophic pyloric stenosis	비대날문협착(증), 비대유문협착(증)
hypertrophy	비대
hyperuricemia	고요산혈증
hyperventilation	1.과다환기 2.과호흡, 잦은숨
hypoactive delirium	저활동섬망
hypoalbuminemia	저알부민혈증
hypoaldosteronism	저알도스테론증

hypocalcemia	저칼슘혈증
hypocapnia	저탄산혈증
hypocapnic respiratory failure	저탄산혈증호흡부전, 저탄산혈증호흡기능상실
hypofibrinogenemia	저섬유소원혈증
hypogammaglobulinemia	저감마글로불린혈증
hypoglycemia	저혈당(증)
hypokalemia	저칼륨혈증
hypomagnesemia	저마그네슘혈증
hyponatremia	저나트륨혈증
hypoparathyroidism	부갑상샘저하증, 부갑상선저하증
hypoperfusion	관류저하
hypopharyngeal space	하인두공간
hypopharynx	후두인두, 하인두
hypophosphatemia	저인산혈증
hyporeninemic hypoaldosteronism	저레닌성저알도스테론증
hypotension	1.저혈압 2.저혈압증 3.저압
hypothalamic pituitary axis	시상하부뇌하수체축
hypothalamic-pituitary-thyroid axis	시상하부-뇌하수체-갑상선축
hypothalamus	시상하부
hypothermia	체온저하, 저체온
hypothyroidism	갑상샘저하증, 갑상선저하증
hypotonic solution	저장액
hypoventilation	1.저환기 2.호흡저하

hypovolemia	저혈량증
hypovolemic shock	저혈량쇼크
hypoxemia	저산소혈증
hypoxemic respiratory failure	저산소혈증호흡기능상실, 저산소혈증호흡부전
hypoxia	저산소증
hypoxic pulmonary vasoconstriction (HPV)	저산소폐혈관수축
hysterectomy	자궁절제(술)
Hysteresis	히스테리시스, 이력현상

iatrogenic hyperphosphatemia	의인성고인산혈증
iatrogenic pneumothorax	의인공기가슴증, 의인기흉
ice-water drowning	얼음물익사
ICU-acquired weakness (ICUAW)	집중치료 후 근육쇠약
ideal body weight	이상체중
idiopathic infantile hypercalcemia	의인성영아고칼륨혈증
idiopathic pneumonia syndrome	의인성폐렴증후군
idiopathic pulmonary arterial hypertension	의인성폐동맥고혈압
idiopathic pulmonary fibrosis	특발폐섬유증
idiopathic pulmonary hemosiderosis	원인불명폐혈철소증, 특발성헤모시데린증
idiosyncratic drug response	특이 약물반응
IgA nephropathy	IgA신장병(증), IgA콩팥병(증)
IgA vasculitis	IgA혈관염
Ileus	창자막힘증, 장폐색증
imbalance	불균형
immobilization	고정, 부동화
immune	면역-
immune complex	면역복합체

immune reconstitution inflammatory syndrome	면역재구성염증증후군
immune response	면역반응
immune system	면역체계
immune thrombocytopenia (ITP)	면역성혈소판감소(증)
immune thrombocytopenic purpura	면역성저혈소판자(색)반
immune-mediated encephalitis	면역매개뇌염
immune-mediated thrombocytopenia	면역매개혈소판감소(증)
immunocompromised	면역손상-, 면역약화-
immunodeficiency	면역결핍
immunoglobulin	면역글로불린
immunohematology	면역혈액학
immunologic pulmonary disease	면역폐질환
immunomodulation	면역조절, 면역제어
immunosuppression	면역억제
immunotherapy	면역요법
impedance	교류저항, 임피던스
implantable cardioverter-defibrillator (ICD)	삽입제세동기
implantable drug delivery system	삽입약물전달시스템
inactive pulmonary tuberculosis	비활성폐결핵
incentive spirometry	유발폐활량측정법
incidence	1.발생률, 발병률 2.발생빈도
incomplete combustion	불완전연소
increase	증가, 항진
index	1.지수, 지표 2.집게손가락

indication	1.지시, 조치 2.징조, 표시 3.적응증
indicator	1.지표, 지시계 2.지시약
indirect calorimetry	간접열량측정(법)
indirect laryngoscopy	간접후두경검사(법)
inducible nitric oxide synthase	유발아산화질소합성효소
inert gas	불활성가스
infection	감염
infection control	감염관리
infection source control	감염원조절
infectious disease	감염병
infectious encephalitis	감염뇌염
infectious pneumonia	감염폐렴
infective endocarditis	감염심내막염
infective esophagitis	감염식도염
inferior mesenteric artery	아래창자간막동맥, 하장간막동맥
inferior vena cava	아래대정맥, 하대정맥
inferior vena cava filter (IVC filter)	하대정맥필터
infiltration	침윤, 침습
inflammation	염증, 염
inflammation-mediated material	염증매개물
inflammatory	염증-
inflammatory bowel disease	염증창자질환, 염증성장질환
inflammatory cell	염증세포

inflammatory cytokine	염증사이토카인
inflammatory edema	염증부종
inflammatory erosion	염증미란
inflammatory mediator	염증매개체, 염증매개물
inflammatory response	염증반응
inflation compliance	팽창탄성
influenza vaccine	인플루엔자백신
information processing	정보처리
informed consent	사전동의
informed decision making	사전의사결정
infrared light absorption	적외선흡수
infundibular spasm	누두부연축, 깔때기연축(증)
infusion pump	주입펌프
inguinal ligament	샅고랑 인대, 서혜인대
inhalation	흡입
inhalation anesthetic gas	흡입마취가스
inhalation injury	흡입손상
inhalation lung injury	흡입폐손상
inhalation therapy	흡입요법
inhalation volume	흡입량
inhibitor	1.억제제 2.억제인자
injury	손상, 부상
injury severity score	손상중증도점수
inlet	입구, 문

inner cortex	내피질
inner dilator	내측확장기
inotropic	근육수축력-
inotropic drug	수축촉진약
inotropic therapy	수축력요법
insensible water losses	불감수분상실
insertion	1.닿는곳 2.삽입, 주입 3.부착
inspiration	들숨, 흡기
inspiratory capacity	들숨용적, 흡기용적
inspiratory demand	들숨요구량, 흡기요구량
inspiratory expiratory ratio	들숨날숨비율, 흡기호기비율
inspiratory gas	들숨가스, 흡기가스
inspiratory phase time	들숨시간, 흡기시간
inspiratory pressure	들숨압, 흡기압
inspiratory threshold load	흡기역치부하
inspired nitrogen partial pressure (PiN_2)	흡기질소분압
inspired oxygen concentration	흡입산소농도
inspired oxygen partial pressure (PiO_2)	흡기산소분압
inspissation	1.농축 2.수분감소
institutional review board (IRB)	생명윤리위원회
insufficiency	1.부전 2.부족(증) 3.기능부전
insulin	인슐린
insulin resistance	인슐린저항, 인슐린내성
integument	1.외피 2.덮개, 층

intemal jugular vein	속목정맥, 내경정맥
intensive	집중-
intensive care unit (ICU)	중환자실, 집중치료실
intensive insulin therapy	집중인슐린치료
intensivist	중환자전담전문의
interaction	상호작용
intercellular adhesion molecule	세포사이부착분자, 세포간부착분자
intercostal	갈비사이-, 늑간-
intercostal space	갈비사이공간, 늑간강
interferon	인터페론
interleukin	인터루킨
intermediate syndrome	중간(형)증후군
intermittent hemodialysis	간헐적혈액투석
intermittent mandatory ventilation	간헐필수환기
intermittent pneumatic compression	간헐적공기압박
intermittent positive pressure device	간헐양압기
intermittent positive pressure ventilation	간헐양압환기(법)
intermittent positive pressure breathing	간헐양압호흡
internal carotid artery pseudoaneurysm	속목정맥거짓동맥류
internal carotid vein	속목정맥, 내경정맥
internal respiration	속호흡, 내호흡
international classification of disease	국제질병분류
interstitial	사이질-, 간질-

interstitial edema	간질부종
interstitial fluid	사이질액, 간질액
interstitial lung disease	사이질폐질환, 간질성폐질환
interstitial marking	간질음영
interstitial nephritis	사이질콩팥염, 간질신장염
interstitial space	사이질공간
interstitial tissue	사이질조직, 간질조직
interstitium	사이질, 간질
interval	1.간격 2.기간 3.범위
interventional procedure	중재시술
interventional radiology	중재적 영상의학
intestinal and multivisceral transplantation	장 및 장간막 이식
intestinal atresia	창자폐쇄(증), 장폐쇄(증)
intestinal failure	장기능상실, 장부전
intestinal ischemia	장허혈
intima fibroplasia	혈관내막섬유증식
intraabdominal hypertension	복강내고혈압
intraabdominal infections	복강내감염
intraabdominal pressure	복강내압, 배안압력
intraalveolar	폐포내, 허파꽈리내
intraalveolar edema	폐포내부종, 허파꽈리내부종
intraalveolar gas	폐포내가스, 허파꽈리내가스
intra-aortic balloon counterpulsation	대동맥내풍선펌프맞박동
intra-aortic balloon pump (IABP)	대동맥내풍선펌프

intra-arterial catheter	동맥내카테터, 동맥내도관
intracardiac shunts	심장내션트
intracellular fluid	세포내액
intracellular reactive oxygen species (intracellular ROS)	세포내활성산소종
intracerebral hemorrhage	뇌내출혈, 뇌속출혈
intracranial aneurysm	두개내동맥류
intracranial hemorrhage (ICH)	두개내출혈, 머리속출혈
intracranial hypertension	두개내압상승
intracranial pressure (ICP)	머리속압력, 두개내압
intramedullary hemorrhage	1.골수내혈종 2.척수내혈종 3.연수내혈종, 숨뇌속혈종
intramuscular (IM) injection	근육내주사, 근육주사
intraocular hemorrhage	눈속출혈, 안구내출혈
intraocular hypertension	안구내고혈압
intraoral pressure, Pmouth	구강압, 입속압
intraosseous infusion	골내주입
intraparenchymal hematoma	실질내혈종
intrapleural pressure	가슴막안압력, 흉강내압
intrapulmonary pressure	폐내압, 허파속압
intrapulmonary shunt	폐내션트
intrarenal blood flow	콩팥내혈류
intrathoracic	가슴안-, 흉곽내-
intrathoracic airway resistance	가슴안기도저항, 흉강내기도저항

intrathoracic artery	가슴안동맥, 흉강내동맥
intrathoracic disease	가슴안질환, 흉강내질환
intrathoracic pressure	가슴안압, 흉강내압
intravascular fluid	혈관내액
intravascular hemolysis	혈관내용혈
intravenous (IV) injection	정맥내주사
intravenous urography	정맥요로조영(술)
intraventricular hemorrhage	뇌실내출혈
intrinsic kidney ìnjury	내인성콩팥손상
intrinsic pathway	내인경로
intrinsic positive end expiratory pressure (PEEP)	내인성호기말양압
intrinsic tissue antioxidation reaction system	내인조직항산화반응계
introducer	안내도관, 삽입기, 유도침, 유도자
intubating laryngeal mask airway (ILMA)	삽관용 후두마스크
intubation	1. 관넣기, 삽관 2. 삽관법
invasive	침습-
invasive aspergillosis	침습성아스페르질루스증
inverse parabolic curve	역포물선
inverse ratio ventilation	역비환기
iodide	요오드
iodinated contrast media	요오드조영제
irreversible	비가역-
irreversible shock	비가역쇼크
irrigation	세척, 관류

irritable bowel syndrome	과민대장증후군
irritant	1.자극- 2.자극제
irritant receptor	자극수용체
irritating inhalant	자극성흡입제
ischemia	허혈
ischemia/reperfusion injury	허혈/재관류손상
ischemic cerebral infarction	허혈뇌경색증
ischemic colitis	허혈잘록창자염, 허혈결장염
ischemic heart disease (IHD)	허혈심장병
ischemic injury	허혈손상
ischemic penumbra	허혈반음영
ischemic stroke	허혈뇌졸증
ischemic threshold	허혈역치, 허혈문턱값
isometric contraction phase	등척수축기, 제길이수축기
iso-oncotic	등장성
isosmotic solution	등삼투압용액
isosorbide 5-mononitrate	5-일질산화이소소르바이드
isosorbide dinitrate	이질산이소소르바이드
isotonic	1.등장- 2.등장액
isotonic saline	등삼투압 생리식염수
isotonic solution	등장액
isotonic water	등장수
isovolumetric contraction phase	등적수축기, 제부피수축기

J

jaundice	황달
jugular transvenous catheter embolectomy	경정맥카테터색전제거술
jugular venous oximetry	경정맥산소측정(법)
jugular venous oxygen saturation ($SjvO_2$)	경정맥산소포화도
junctional arrhythmia	접합부부정맥, 이음부부정맥
junctional ectopic tachycardia	방실접합부이소성빈맥
junctional tachycardia	방실이음부빠른맥, 방실접합부빈맥
juxtamedullary nephron	속질곁콩팥단위, 수질옆신원

kallikrein-kinin system	칼리크레인-키닌계
Kernig's sign	커니히징후
ketoacidosis	케토산증
ketone	케톤
ketone body	케톤체
ketotic hypoglycemia	케토산성저혈당증
kidney	신장, 콩팥
kidney disease	신장병, 콩팥병
kinin system	키닌계
klebsiella pneumoniae	폐렴막대균, 폐렴간균
knotting	매듭짓기
Korea Network for Organ Sharing (KONOS)	국립장기이식관리센터

labetalol	라베탈롤
laboratory finding	검사소견
laceration	찢김, 열상
lactate	젖산염, 유산염
lactescence	유화
lactic acid	젖산
lactic acidosis	젖산산증
lactulose	락툴로오스
laminar flow	결흐름, 층판류
laparoscopy	복강경검사, 배안보개검사
Laplace's law	라프라스법칙
large collateral vein	큰곁정맥
large vein	대형정맥
laryngeal constriction	성대문수축
laryngeal edema	후두부종
laryngeal mask airway	후두마스크
laryngeal spasm	후두연축
laryngeal tissue	후두조직
laryngoscopy	후두경검사(법)

laryngospasm	성대문연축, 성문연축
laryngotracheal injury	후두기관손상
larynx	후두
laser therapy	레이저치료
latent phase	1.잠재기 2.잠복기
latent tuberculosis infection (LTBI)	잠복결핵감염
lateral cord syndrome	외측척수 증후군
lateral decubitus	옆누움, 측와위, 옆누운자세
lateral wall	측벽
lateralizing sign	편향징후
latex allergy	라텍스 알레르기
layer	층
lead time bias	조기발견기간바이어스
leakage	누출, 새기
lean body mass	지방뺀체중, 마른체중
lectin	렉틴
left anterior descending coronary artery	좌전하행관상동맥
left atrial appendage	좌심방귀
left atrial pressure	좌심방압력
left atrium	왼심방, 좌심방
left axis shift	왼축변위
left bundle branch block (LBBB)	왼방실다발갈래차단, 좌각차단
left heart failure	좌심부전
left main bronchus	왼모서리가지, 좌(주)기관지

left ventricle (LV)	왼심실, 좌심실
left ventricular afterload	좌심실후부하
left ventricular apical ballooning	좌심실꼭대기풍선확장
left ventricular assist device (LVAD)	좌심실보조기
left ventricular contractility	좌심실수축력
left ventricular contraction function	좌심실수축기능
left ventricular diastolic function	좌심실이완기능
left ventricular dysfunction	왼심실기능장애, 좌심실기능장애
left ventricular filling pressure	좌심실충만압
left ventricular function	좌심실기능
left ventricular hypertrophy	좌심실비대
left ventricular load	좌심실부하
left ventricular outflow tract	좌심실유출로
left ventricular preload	좌심실전부하
left ventricular pressure	좌심실압
left ventricular stroke work index	좌심실박출작업지수
left ventricular systolic function	좌심실수축기능
left ventricular systolic pressure	좌심실수축기압
left ventricular wall motion abnormality	좌심실벽운동장애
left ven σ icular end-diastolic area	좌심실이완기말면적
left-to-right shunts	좌우션트
leptospirosis	렙토스피라병, 렙토스피라증
lethal triad	치사 삼징후

lethality	치사율
leukapheresis	백혈구성분채집(술), 백혈구분반술
leukemia	백혈병
leukocyte	백혈구
leukocytosis	백혈구증가(증)
leukotriene	류코트리엔
leukotriene pathway inhibitors	류코트리엔경로억제제
lidocaine	리도카인
life-support withdrawal	생명보조장치철회
life-sustaining treatment	연명치료
light microscope	광학현미경
light reflex	빛반사, 대광반사
limbic system	둘레계통, 변연계
line isolation monitor (LIM)	선절연감시장치
linear probe	선형탐색자
linear skull fracture	선상두개골절
lining epithelium	피복상피
lipase	지질분해효소, 리파제
lipid	지질
lipid-mediated substance	지질매개물질
lipocyte	지방세포
lipolysis	지질분해, 지방분해
lipopolysaccharide (LPS)	지질다당질

lipoteichoic acid	지질테이코산
liquid plasma	액체혈장
liquid ventilation	액체환기(법)
lithium	리튬
liver	간
liver cirrhosis	간경화증
liver disease	간질환, 간병
liver surface	간표면
liver transplantation	간이식
living will	생존유서
loading	부하
local injury	국소손상
locked-in syndrome	감금증후군
log-linear terminal phase	로그선형 최종기
long axis	장축
long QT syndrome	긴QT증후군
loop diuretics	고리형이뇨제
loss of consciousness	의식소실
low density lipoprotein (LDL)	저밀도지질단백질
low dose	저용량, 저선량
low molecular weight heparin (LMWH)	저분자량헤파린
low risk	저위험
lower inflection point	저굴곡점
lower lobe	하엽

lower portion	하단부
lower respiratory tract	하기도
lower urinary tract obstruction	하부비뇨기계폐색
lower urinary tract symptoms	하부비뇨기계증상
low-flow system	저유량계
low-grade glioma	저등급교종
lumbar puncture	허리천자, 요추천자, 요추뚫기
lumen	1.속공간, 내강 2.루멘
lung	폐, 허파
lung abscess	폐농양, 폐고름집
lung apex	폐꼭대기, 허파꼭대기
lung cancer	폐암
lung collapse	폐허탈
lung compliance	폐순응도
lung consolidation	폐경화
lung contusion	폐타박상
lung infiltration	폐침윤
lung injury	폐손상
lung parenchyma	폐실질
lung scan	폐스캔
lung sliding	폐미끄럼현상
lung tissue	폐조직
lung transplantation	폐이식
lung volume	폐용적, 허파부피

lupus anticoagulant	루푸스항응고인자
lupus nephritis	루푸스콩팥염, 루푸스신장염
LV ejection fraction	좌심실 박출률, 좌심실 박출분율
lymph	림프
lymph node	림프절
lymph node tuberculosis	림프절결핵
lymphatic system	림프계통, 림프계
lymphocyte	림프구
lymphocytic myocarditis	림프구성심근염
lymphoma	림프종

macro	큰-
macrocirculation	큰순환
macrophage	큰포식세포, 대식세포
maculopapular rash	반구진발진, 반솟음발진, 반점구진발진
magnesium	마그네슘
magnesium sulfate	황산마그네슘
magnetic resonance imaging (MRI)	자기공명영상
magnetic resonance spectroscopy (MRS)	자기공명분광법
major trauma	중증외상
malabsorption	흡수장애
malacia	연화증
malaria	말라리아, 학질
male	남성-, 수컷-
malignancy	암
malignant disease	악성질환
malignant hypertension	악성고혈압
malignant lesion	악성병변
malignant tumor	악성종양

Mallampati classfication	말람파티 분류
Mallory-Weiss tears	말로리-바이스 파열
malnutrition	영양실조
mandible rami	아래턱가지
mandibular fractures	하악골골절
man-made disasters	인위재해
mannitol	만니톨
mannose	만노스
manual ventilation	수동환기
maple syrup urine disease	단풍시럽뇨병
Marburg virus	마르부르크바이러스
marginal periodontitis	가장자리치아주위조직염, 연변치주염
marrow	속질, 골수
mask	마스크
mass spectrometry	질량분광법
mass-casualty incident	다중손상사고
massive	대량
massive hemoptysis	대량객혈
massive hemorrhage	대량출혈, 중증출혈
massive pulmonary embolism	대량폐색전증, 대량허파색전증
massive transfusion	대량수혈
maturation	성숙
maximal expansion pressure	최대팽창압

maximal pressure support	최대압력보조
maximal serum concentration (Cmax)	최대혈청농도
maximal sterile barrier precaution	최대멸균차단법
maximum expiratory pressure	최대호기압
maximum right ventricular systolic pressure	우심실최대수축기압
mean airway pressure	평균기도압
mean arterial pressure (MAP)	평균동맥압
mean blood pressure	평균혈압
measles	홍역
measurement	측정
mechanical circulatory support	기계순환보조
mechanical fragmentation	기계적조각내기, 기계적분절
mechanical respiration	기계호흡
mechanical ventilation	기계환기
mechanical ventilator	기계환기기
mechanism	1.기전, 메커니즘, 기구 2.기계론
mechanoreceptor	기계수용체
mecoprop poisoning	메코프로프중독
median nerve	정중신경
median sternotomy	정중흉골절개술
mediastinal fibrosis	종격동섬유증
mediastinitis	세로칸염, 종격염
mediated	매개-
mediator	매개체

medical decision making 임상적 의사결정
medical emergency team 신속대응팀
medical futility 임상적 무익
medical intensive care unit (ICU) 내과계중환자실
Medical Orders for Life-Sustaining Treatment (MOLST) 연명치료를 위한 의학적지침
medical record 의무기록
medical research council (MRC) sum score 의학연구회통합 지수
medical severity index 의학적 중증도지수
medulla 1.수질, 속질 2.골수, 뼈속질 3.숨뇌, 연수
medulla collecting duct 속질집합관, 수질집합관
medulla oblongata 숨뇌, 연수
megakaryocyte 거대핵세포
MELD (Model for End-Stage Liver Disease) score 말기간질환 예후점수
membrane pump 막펌프
Mendelson's syndrome 멘델슨증후군
meningeal irritation syndrome 수막자극증후군
meninges 뇌척수막
meningitis 수막염
meningococcemia 수막알균혈증, 수막구균혈증
meningococcus 수막알균
meningoencephalitis 수막뇌염
mesenchymal stem cell 중간엽 줄기세포

mesenteric ischemia	장간막 허혈
metabolic	대사-
metabolic acidosis	대사산증
metabolic alkalosis	대사알칼리증
metabolic complication	대사합병증
metabolic structure factor	대사구조인자
metabolism	대사
metal-fume fever	금속-증기열
metastasis	전이
metastatic cancer	전이암
metered-dose inhaler (MDI)	정량식 흡입기
methanol poisoning	메탄올 중독
methemoglobin	메트헤모글로빈
methemoglobin reductase deficiency	메트헤모글로빈환원효소결핍
methicillin-resistant staphylococcus aureus (MRSA)	메티실린내성 황색포도상구균
methodology	방법론
methyl hemoglobin	메틸헤모글로빈
methyldopa	메틸도파
methylene chloride	염화메틸렌
methylprednisolone	메틸프레드니솔론
methylxanthine	메틸잔틴제
metolazone	메톨라존
metoprolol	메토프롤롤

microaspiration	미세흡인
microcirculation	미세순환
microcirculation mechanism	미세순환기전
microdialysis	미세투석
microembolization	미세색전술
micronutrients	소량영양소
microprocessor electronics	마이크로프로세서 전자공학
microscopic hematuria	현미경적혈뇨, 미세혈뇨
microshock	마이크로쇼크
microthrombosis	미세혈전
microvascular	미세혈관
microvascular hemolytic anemia	미세혈관용혈빈혈
microvascular thrombosis	미세혈관혈전증
middle cerebral artery	중간대뇌동맥, 중대뇌동맥
middle East respiratory syndrome (MERS)	중동호흡기증후군(메르스)
migration	이동, 이주
mild	경증
miliary tuberculosis	좁쌀결핵
milk-alkali syndrome	우유알칼리증후군
milrinone	밀리논
mineralocorticoid excess	광물부신겉질호르몬, 광물코르티코이드 과다
minimal inhibitory concentration (MIC)	최소억제농도
minoxidil	미녹시딜

minute inflow	분당유입량
minute ventilation	분당환기량, 분시환기량
minute volume	분당호흡량, 분당박출량
mitochondria	미토콘드리아, 사립체
mitochondria failure	사립체기능상실(부전), 미토콘드리아기능상실(부전)
mitral insufficiency	승모판기능부족, 승모판폐쇄기능부족
mitral regurgitation	승모판역류
mitral stenosis	승모판협착(증)
mitral valve	승모판
mix	혼합
mixed vein	혼합정맥
mixed venous blood	혼합정맥혈
mixed venous oxygen saturation (SvO_2/$SmvO_2$)	혼합정맥혈산소포화도
M-mode ultrasound	M-방식(모드)초음파
mobilization	동원, 가동화
moderate	중등도
modified Duke's criteria	변형듀크기준
molecule	분자
monitor	모니터, 감시장치
monitoring	감시, 모니터링
monkeypox	원숭이마마
monoamine oxidase	모노아민산화효소

monocyte	단핵구
monocyte chemoattractant protein	단핵구화학쏠림단백질, 단핵구화학주성단백
monomorphic ventricular tachycardia	단형심실빈맥
monophasic wave	단상파
morbidity	이환, 이환율
morison pouch	모리슨 낭
morphine	모르핀
mortality	1.사망 2.치사성 3.사망률
mortality prediction model (MPM)	사망률예측모델
mortality rate	사망률
motor	운동
motor system	운동계
motor unit	운동단위
mouth	1.입 2.입안, 구강
mouth-to-mouth breathing	입과입인공호흡(법)
mouth-to-nose breathing	입과코인공호흡(법)
movement	운동
mTOR inhibitor	엠토르억제제
mucoactive agents	점액활성제
mucociliary clearance	점액섬모청소, 점액섬모청소율
mucormycosis	털곰팡이증
mucosa	1.점막 2.점막층
mucosal edema	점막부종

mucosal lesion	점막병터, 점막병변
mucosal PCO_2	점막이산화탄소분압
mucous gland	점액샘, 점액선
mucous secretion	점액분비
multi-detector computed tomography (MDCT)	다검출전산화단층촬영술
multidisciplinary team	여러전문분야팀
multidrug-resistant tuberculosis	다제내성결핵
multifocal atrial tachycardia	다초점심방빠른맥, 심방빈맥
multiform	뭇형태-, 다형태-
multimodal analgesia	다중진통
multi-organ failure (MOF)	다장기기능장애(기능이상)
multiple endocrine neoplasia (MEN)	다발내분비샘종양
multiple myeloma	다발골수종
multiple organ dysfunction score (MODS)	다장기기능장애(기능이상)점수
multiple organ dysfunction syndrome (MODS)	다장기기능장애증후군
muscarinic symptom	무스카린증상
muscle	근육
muscle blockade	근육차단제
muscle relaxant	근육풀림제, 근육이완제
musculoskeletal disorder	근육뼈대계통질환, 근골격계질환
myalgia	근(육)통
myasthenia	근(육)무력증
myasthenia gravis	중증근(육)무력증
myasthenic crisis	근(육)무력위기

myasthenic syndrome	근(육)무력증후군
mycetoma	균종, 진균종
mycobacterium avium intracellulare (MAC)	미코박테륨아비움인트라셀룰라레, 조류결핵균
mycobacterium tuberculosis	결핵균
mycoplasma pneumonia	미코플라스마뉴모니아이, 폐렴미코플라스마
mycotic infection	곰팡이감염, 진균감염
Myelin basic protein	말이집 기초단백질, 수초 기초단백질, 미엘린 기초단백질
myelination	말이집형성, 수초화
myelitis	1. 척수염 2. 골수염
myelosuppression	골수억제
myocardial	심장근육-, 심근-
myocardial blood flow	심근혈류량
myocardial contractility	심(장)근(육)수축력, 심(장)근(육)수축성
myocardial contusion	심(장)근(육)타박
myocardial dysfunction	심근기능장애
myocardial infarction	심근경색증
myocardial ischemia	심근허혈, 심장근육허혈
myocardial necrosis	심(장)근(육)괴사
myocardial perfusion scintigraphy	심근관류섬광조영(술)

myocardiopathy	심근병(증)
myocarditis	심근염
myocardium	1.심장근육, 심근 2.심장근육층, 심근층
myoclonic jerking	간대성근경련, 근클로누스경련
myoclonus	근(육)간대경련
myofibroblast	근(육)섬유모세포
myoglobin	미오글로빈
myoglobulinuria	미오글로불린뇨증
myometrial contraction	자궁근육수축
myonecrosis	1.근(육)괴사 2.근(육)섬유괴사
myopathy	근(육)병(증)
myotonia	근(육)긴장증
myxedema coma	점액부종 혼수

N

N-acetylcysteine	N-아세틸시스테인
narcotrend index (NI)	마약중독 지수
narrow-complex tachycardia	좁은QRS복합빈맥
narrow-QRS-complex tachycardia	좁은QRS복합빈맥
nasal	코-
nasal cannula	코삽입관
nasal catheter	코카테터
nasal cavity	코안, 비강
nasal intubation	코삽관
nasal mucosa	비강점막
nasoenteral tube	비장관
nasogastric intubation	코위삽관
nasogastric tube	코위영양관
nasopharyngeal airway	코인두 기도
nasopharyngeal cavity	코인두강
nasopharynx	코인두
nasotracheal intubation	코기관내삽관
nasotracheal tube	코기관튜브
natriuresis	나트륨배설증가

natural anticoagulation factor	자연항응고인자
natural disaster	자연재해
natural killer (NK) cell	자연살해세포
nausea	구역, 욕지기
near drowning	익사직전
near infrared spectroscopy (NIRS)	근적외선 분광기
near miss	근접오류
nebulization	분무, 분무치료
nebulizer	분무기
neck	목, 경부
neck infection	경부감염
neck stiffness	경부강직
neck trauma	경부외상
necrosectomy	괴사조직절제술
necrosis	괴사
necrotic cell	괴사세포
necrotizing cellulitis	괴사연조직염
necrotizing descending mediastinitis	괴사하행종격동염
necrotizing enterocolitis	1. 괴사작은창자큰창자염, 괴사소장대장염 2. 괴사소장결장염
necrotizing fasciitis	괴사근막염
necrotizing pneumonia	괴사폐렴, 괴사허파염
necrotizing soft-tissue infection	괴사연조직감염

needle 바늘, 침

needle cricothyrotomy 바늘원뿔꼴인대절개(술), 바늘원추형인대절개(술)

needle thoracentesis 바늘흉강천자

negative feedback 음성되먹임

negative nitrogen balance 음성질소평형

negative pressure 음압

negative pressure pulmonary edema 음압폐부종

negative pressure ventilator 음압환기기

negative pressure wound care closure device 음압상처치료봉합장치

neohepatic phase 신생간기

neonatal alloimmune thrombocytopenia (NAIT) 신생아동종면역성혈소판감소증

neonatal asphyxia 신생아질식

neonatal intensive care unit (ICU) 신생아중환자실

neonatal myocardium 신생아심근

neonate 신생아

neoplastic disease 신생물질환

neoplastic pericarditis 종양성심막염

nephrogenic diabetes insipidus 콩팥기원요붕증, 신장기원요붕증

nephrolithiasis 콩팥돌증, 신장결석증

nephron 콩팥단위, 신장단위

nephropathy 콩팥병(증), 신장병(증)

nephrotic syndrome 콩팥증후군, 신증후군

nerve agents	신경작용제
nerve conduction test (NCT)	신경전도검사
nervous system	신경계, 신경계통
neurally adjusted ventilatory assistance (NAVA)	횡경막활동조정호흡보조
neuraxial analgesia	신경축진통
neurocognitive test battery	신경인지검사군
neurocritical care	신경집중치료
neurocysticercosis	신경낭미충증
neuroendocrine	신경내분비
neurofilament proteins	신경잔섬유 단백
neurogenic factor	신경인자
neurogenic pulmonary edema	신경성폐부종
neurogenic shock	신경성쇼크
neuroimaging	뇌영상
neurologic disorder	신경계장애, 신경계질환
neurologic examination	신경학적검사
neurologic profile	신경학적계수
neurologic pupil index	신경학적동공지수
neurologic status	신경학적 상태
neurological intensive care unit (ICU)	신경계중환자실
neuromuscular blocker	신경근차단제
neuromuscular blocking agents	신경근차단제, 근이완제
neuromuscular disorders	신경근육질환
neuromuscular junction	신경근(육)이음부, 신경근접합부

neuron specific enolase (NSE) 신경원특이에놀라아제

neuroprotection 신경보호

neurosurgical complications 신경외과적 합병증

neurosurgical intensive care 신경외과집중치료실

neurotransmitters 신경전달물질

neutropenia 중성구감소(증)

neutrophil 중성구, 호중구, 호중성백혈구

neutrophil extracellular traps (NET) 호중구세포외덫

neutrophil phagocytic activity 호중구탐식작용

neutrophilia 호중성구증가, 호중구증가

neutrophils 중성구, 호중구

nicotinamide adenine dinucleotide phosphate (NADPH) 니코틴아마이드 아데닌 다이뉴클레오타이드 인산

nifedipine 니페디핀

nil per os (NPO) 금식

Nipah virus 니파 바이러스

nitrate 질산염

nitric oxide (NO) 산화질소

nitric oxide donors 일산화질소 공여자, 산화질소공여제

nitric oxide inhalation 산화질소흡입

nitric oxide synthase inhibitors 일산화질소합성억제제, 산화질소합성억제제

nitrocellulose 니트로셀룰로스

nitrogen (N_2)	질소
nitrogen balance	질소균형
nitrogen compound	질소화합물
nitrogen dioxide (N_2O)	이산화질소
nitrogen partial pressure	질소분압
nitroglycerin	니트로글리세린
nitroprusside	니트로푸루시드
nociceptors	통각수용체
non-A, non-B (NANB) hepatitis	AB이외간염, 비A,비B간염
nonanion gap metabolic acidosis	비음이온차 대사성 산증
noncardiogenic pulmonary edema	비심장성폐부종
nonconvulsive status epilepticus	비경련성경련중첩증
nonesterified fatty acids	비에스테르화 지방산
nongangrenous colitis	비괴사성 대장염, 비괴저성 대장염
noninvasive positiv pressure ventilation (NPPV)	비침습양압환기
noninvasive positive pressure Ventilation (NIPPV)	비침습(적)양압환기(법)
noninvasive ventilation (NIV)	비침습환기
noninviasive ventilator	비침습양압환기
nonketotic hyperglycernia	비케톤성고혈당, 비케톤산성고혈당(증)
nonlinear pharmacokinetics	비선형약동학, 약물동력학
nonocclusive mesenteric ischemia	비폐쇄성장간막허혈
non-rebreathing oxygen mask	비재호흡산소마스크

nonrebreathing system 비재호흡장치
nonspecific 비특이-
non-ST elevation myocardial infarction (NSTEMI) 비에스티상승심근경색증
nonsteroidal antiinflammatory drugs 비스테로이드성 항염증제
nonsynchronized 비동기
no-reflow 비재흐름
norepinephrine (NE) 노르에피네프린
normal 정상
normal saline 생리식염수
nosocomial diarrhea 병원내 감염성 설사
nosocomial infection 병원감염
nosocomial native valve infective endocarditis 병원내 자연 판막 감염성 심내막염
nosocomial pneumonia 병원내폐렴
nosocomial sinusitis 병원내감염성부비동염
nosocomial urinary tract infection (UTI) 병원내요로감염
noxious inhalant 유해흡입제
noxious inhalant material 유해흡입물질
nuclear medicine 핵의학
nucleic acid amplification assays 핵산증폭검사
nutritional assessment 영양상태 평가
nutritional support 영양지원

O_2 extraction ratio (O_2ER)	산소추출률
O_2 utilization ratio	산소이용률
obesity	비만, 비만증
obesity hypoventilation syndrome	비만(성) 저환기 증후군, 비만 호흡저하 증후군
observation	관찰
obstetric disease	산과질환
obstetric hemorrhage	산과적 출혈
obstetrics	산과, 산과학
obstructive airway disease	폐쇄기도질환
obstructive hypertrophic cardiomyopathy	폐쇄비대심장근육병(증), 폐쇄비대심근병(증)
obstructive lung disease	폐쇄성 폐질환
obstructive nephropathy	막힘콩팥병(증), 폐쇄신장병(증)
obstructive pulmonary disease	폐쇄폐질환, 폐쇄폐병
obstructive shock	폐쇄쇼크
obstructive uropathy	폐쇄요로병(증)
occlusive mesenteric ischemia	폐쇄성 장간막 허혈
occupation therapy	작업요법

oculocephalic reflex	눈머리반사
oculogyric crisis	안구운동발작
oculomotor nerve	눈돌림신경, 동안신경
odorless	무취
Off Pump Coronary Artery Bypass (OPCAB)	체외순환 없는 관상동맥우회술
Ogilvie's syndrorne	오길비증후군, 급성대장가성폐색
olfaction	후각
oligohydruria	농축뇨
oliguria	소변감소, 요감소
one-way valve	일방판막
one-way valve mechanism	일방판막기전
onset	시작, 발현, 발병
open chest compression	개흉압박법
open chest pleurodesis	개흉흉막유착법
open surgical embolectomy	외과적색전제거술
open system	개방제, 개방시스템, 개방형병원, 개방형관리방식
open system (of ICU)	(중환자실) 개방형시스템
operation	수술, 조작
opiate	아편제제
opioid	아편유사제
opioids	아편유사제
opportunistic infections	기회감염
opsonization	옵소닌화

oral decontamination	구강내오염제거
oral hygiene	구강위생
oral medication	경구투약
orchitis	고환염
organ	1.기관 2.장기
organ donation	장기기증
organ failure	장기부전
organ procurement organizations (OPO)	장기 구득 기관
organic compound	유기화합물
organic ischemia	장기허혈
organizing pneumonia	기질화폐렴
organizing stage	기질기
organophosphate	유기인산염
organophosphate insecticide intoxication	유기인산염살충제중독
organophosphate-induced delayed neuropathy	유기인제유발지연신경증
orogastric tube	입위관
oropharyngeal	입인두-
oropharyngeal cervical infections	구인두(입인두) 경부 감염
oropharyngeal material	입인두물질
oropharynx	입인두
orotracheal intubation	입기관삽관
oroya fever	오로야열, 카리온병
orthopnea	앉아숨쉬기, 좌위호흡
osmolality	삼투질농도, 중량몰삼투압농도

osmolar gap	삼투압차
osmolarity	삼투압농도, 오스몰농도
osmoreceptor	1.삼투(압)수용기 2.후각수용기
osmotic demyelination syndrome	삼투성 탈수초 증후군
osmotic diarrhea	삼투성 설사
osmotic diuresis	삼투성이뇨
osteomalacia	뼈연화증, 골연화증
outer cortex	외피질, 바깥겉질
outer medullary tissue	외수질, 바깥속질
outer sheath	바깥집
output	출력, 배출량, 산출
over wedging	과다쐐기
overcompensation	과다보상
overdistension	과팽창
over-dose	과다복용
overwhelming postsplenectomy infection (OPSI)	비장절제후 압도적 감염
oxalic acid	옥살산
oxidant formation	산화제생성
oxidative metabolism	산화적 대사
oxidative phosphorylation	산화인산화
oxidative stress	산화스트레스
oxidoreductins 2	산화환원효소2
oxygen	산소
oxygen absorption	산소흡수

oxygen capacity	산소용량
oxygen compound	산소화합물
oxygen concentration	산소농도
oxygen consumption (VO_2)	산소소모
oxygen content difference	산소함량차
oxygen delivery (DO_2)	산소운반
oxygen delivery system	산소투여장치
oxygen demand	산소요구량
oxygen diffusion	산소확산
oxygen dissociation	산소해리
oxygen ejector	산소분출기
oxygen exchange disturbance	산소교환장애
oxygen extraction	산소추출
oxygen extraction ratio	산소추출률
oxygen flux	산소전달량
oxygen hood	산소후드
oxygen inhalation	산소흡입
oxygen mask	산소마스크
oxygen mask with reservoir	저장기부착 산소마스크
oxygen molecule	산소분자
oxygen partial pressure (PO_2)	산소분압
oxygen reservoir	산소저장기
oxygen saturation (SO_2)	산소포화도
oxygen supply	산소공급

oxygen tent	산소텐트
oxygen therapy	산소요법
oxygen toxicity	산소독성
oxygen transport	산소운반
oxygen uptake	산소섭취량
oxygen utilization	산소이용
oxygenated hemoglobin (oxidized hemoglobin)	산화혈색소, 산화헤모글로빈
oxygenation	산소공급, 산소투여, 산소화
oxygenation capacity	산소화능력
oxygenation method	산소투여방법
oxygenation process	산소화과정
oxyhemoglobin	산소혈색소, 산소헤모글로빈
oxyhemoglobin dissociation curve	산화혈색소해리곡선
oxyhemoglobin saturatíon (curve)	산소헤모글로빈포화도(곡선)
oxytocin	옥시토신
ozone	오존

P/F ratio	산소분압/투여 산소분획 비
pacemaker	박동조율기
pacemaker potential	박동조율기전위
pacemaker syndrome	박동조율기증후군
pacemaker-mediated tachycardia	박동조율기매개빈맥
pacing wire	박동조율기선
packed red blood cell transfusion	농축적혈구 수혈
$PaCO_2$ (arterial carbon dioxide partial pressure)	동맥혈이산화탄소분압
paddle	패들
pain	통증
pancreatic cancer	췌장암
pancreatic secretory trypsin Inhibitor (PSTI)	췌장분비트립신억제제
pancreatitis	이자염, 췌장염
panic attacks	공황발작
PaO_2 (arterial oxygen partial pressure)	동맥혈산소분압
papanicolau smear	파파니콜로펴바른표본
papilledema	시신경유두부종
papilloma	유두종
paracentesis	천자(술)

paracoccidioidomycosis	파라콕시디오이데스진균증
paracrine	주변분비
paradoxical embolism	모순색전증
paradoxical interventricular septal shift	모순심실간격 이동
paradoxical reflex	모순반사
paradoxical thoracoabdominal movement	모순흉복운동
paradural abscess	부경질막농양
paragonimiasis	폐흡충증
paraplegia	하반신완전마비
parapneumonic effusion	폐삼출액
paraquat intoxication	파라캇중독
parasite	기생충
parasympathetic nervous system	부교감신경계통
parathyroid hormone	부갑상샘
parathyroid hormone-related protein	부갑상샘 관련 단백질
parenchymal hemorrhage	실질 출혈
parenchymal lung injury	폐실질 손상
parenteral fluid	비경구수액, 정맥수액
parenteral medication	비경구약물, 정맥약물
parenteral nutrition	비경구영양, 정맥영양
parietal pleura	벽측흉막
Parkinsonism	파킨슨병
parous	경산부-
paroxysmal supraventricular tachycardia (PSVT)	발작상심실성 빈맥

partial carbon dioxide rebreathing	부분이산화탄소 재호흡
partial nonconvulsive status epilepticus	부분비경련성경련중첩증
partial pressure	분압
partial pressure difference	분압차
partial pressure of carbon dioxide	이산화탄소분압
partial pressure of oxygen	산소분압
partial rebreathing oxygen mask	부분재호흡산소마스크
particle	입자
passive leg raise test	수동적하지거상검사
passive process	수동적과정
patent ductus arteriosus	동맥관열림증, 동맥관개존증
pathologic finding	병적소견
pathological shunt	병적단락
pathophysiologic	병태생리
pathophysiology	병태생리학
pathway	경로, 통로
patient	환자
patient controlled analgesia (PCA)	자가조절진통
patient controlled epidural analgesia (PCEA)	자가조절경막외진통
patient safety	환자안전
patient service system	환자지원체계
patient state index (PSI)	환자상태지수
patient-ventilator dyssnchrony	환자-기계환기기 부조화
patient-ventilator interaction	환자-환기 상호작용

$PbtO_2$ (brain tissue oxygen partial pressure)	뇌조직산소분압
PCO_2 (carbon dioxide partial pressure)	이산화탄소분압
peak airway pressure	최고기도압
peak expiratory flow rate	최고날숨유속, 최고호기유속
peak inspiratory flow rate	최고들숨속도, 최고흡기유속
peak inspiratory pressure	최고흡기압
pectoralis major muscle	큰가슴근, 대흉근
pediatric	소아과학, 소아
pediatric disorder	소아질환
pediatric intensive care unit (ICU)	소아중환자실
pediatric neurosurgical intensive care	소아신경외과 집중치료
pediatric trauma score	소아외상점수
pelvic fracture	골반골절
pelvic inflammatory disease	골반염증질환, 골반염
pelvis	골반
penetrating injury	관통상
peptic ulcer disease	소화성궤양
peptide	펩티드
peptidoglycan	펩티드글리칸
perceptional dysfunction	지각장애
percutaneous aspiration	경피흡인술, 피부경유흡인술
percutaneous balloon mitral valvotomy	경피승모판성형술
percutaneous cholecystostomy	경피담낭조루술
percutaneous coronary intervention	경피관상동맥중재술

percutaneous dilational cricothyrotomy	경피확장윤상갑상막절개
percutaneous dilational tracheostomy (PDT)	경피확장기관절개술
percutaneous lung needle biopsy	경피폐침생검술
percutaneous tracheostomy	경피적기관절개술
percutaneous translaryngeal tracheostomy	경피경후두기관절개술
percutaneous transluminal angioplasty	피부경유혈관경유혈관성형(술)
perfusion	관류, 관혈류
perfusion pressure	관류압
perfusion/ventilation lung scan	관류/환기폐스캔
perfusion-weighted imaging	관류자기공명영상
perialveolar interstitial edema	폐포(허파꽈리)주위간질부종, 폐포(허파꽈리)주위사이질부종
peribronchial edema	기관지주위부종
peribronchial vessel	기관지주위혈관
pericardial cyst	심장막낭
pericardial disease	심장막병, 심낭질환
pericardial effusion	심장막삼출액
pericardial fluid	심장막액
pericardial friction rub	심장막마찰음, 심낭마찰음
pericardial space	심장막공간
pericardial tamponade	심장막눌림증
pericardiectomy	심장막절제(술)
pericardiocentesis	심장막천자
pericardioplasty	심장막성형술

pericardiostomy	심장막창냄(술), 심장막조루(술)
pericarditis	심장막염
pericardium	심장막
periengraftment respiratory distress syndrome	생착기호흡곤란증후군
perinephric abscess	콩팥주위고름집, 신장주위농양
perioperative	수술에 의한-
peripartum cardiomyopathy	분만전후심장근육병(증), 분만전후심근병(증)
peripheral	말초-, 주변-, 주위
peripheral airway obstruction	말초기도폐쇄
peripheral arterial blood	말초동맥혈
peripheral arterial vasodilation	말초동맥혈관확장
peripheral blood	말초혈액
peripheral chemoreceptor	말초화학수용체
peripheral cyanosis	말초청색증
peripheral edema	말초부종
peripheral nerve block	말초신경차단술
peripheral neuropathy	말초신경병증
peripheral tissue	말초조직
peripheral vascular disease	말초혈관병
peripheral vascular resistance	말초혈관저항
peripheral vein	말초정맥
perirenal abscess	콩팥주위 농양
peritoneal cavity	복막안, 배막안, 복막강

peritoneal irritation sign	복막자극징후, 배막자극징후
peritonitis	복막염, 배막염
peritonsillar abscess	편도주위고름집, 편도주위농양
permeability	투과성
permeability type pulmonary edema	투과폐부종
permissive hypercapnia	허용고탄산혈증
pertussis	백일해
petechia	출혈점
pH	pH
phagocytosis	포식, 포식작용
pharmacodynamics	약물력학, 약력학
pharmacokinetic model-driven infusion system	약동학모형구동주입장치
pharmacokinetics	약물동력학
pharmacologic thrombolysis	약물혈전용해
pharyngeal dysfunction	인두기능장애
pharyngeal infections	인두감염
pharyngitis	인두염
phase	상, 기, 위상
phase 2 reentry	phase 2회귀
phase variable	위상변수
phenol	페놀
phenylalkaline	페닐알칼라인
pheochromocytoma	크롬친화세포종
phlebotomy	정맥절개(술)

phosphate	인산염
phosphatonins	포스파토닌
phosphocreatine	포스포크레아틴
phosphodiesterase inhibitors	포스포디에스테라제억제제
phospholipid	인지질
phosphoprotein	인단백질
phosphorus	인
photoplethysmography	광혈류측정
phrenic nerve injury	가로막신경손상, 횡격막신경손상
physical examination	신체검사
physician order for life-sustaining treatment (POLST)	연명의료의사지시서
physiologic	생리학적
physiologic dead space	생리적사강
physiologic effect	생리적효과
piperacillin	피페라실린
pitting edema	오목부종
pittsburgh cardiac arrest category	피츠버그 심정지분류
pituitary	1.뇌하수체 2.뇌하수체-
pituitary gland	뇌하수체
placebo	속임약, 헛약, 플라세보
placenta	태반
placenta accreta	유착태반
placenta increta	함입태반
placenta percreta	천공태반

plague	페스트, 흑사병
plaque	판, 플라크
plasma	혈장, 원형질, 세포질
plasma exchange	혈장교환(술)
plasma osmolality	혈장삼투질농도
plasma protein fraction	혈장단백분율
plasma protein	혈장단백질
plasma volume expander	혈장증량제
plasmalyte	플라스마라이트
plasmapheresis	혈장분리교환술
plasmin	플라즈민
plasminogen	플라즈미노겐
plasminogen activator	플라스미노겐 활성제, 플라스미노겐 활성물질
plasminogen inhibitory factor-1	플라즈미노겐 활성억제인자-1
plateau	정점지속, 고원
plateau effect	고원효과
plateau phase	편평기, 고조기
plateau pressure	고원압
platelet	혈소판
platelet activating factor	혈소판활성인자
platelet aggregation	혈소판응집
platelet concentrates (random donor platelets)	농축 혈소판(무작위 공여자 혈소판)

platelet dysfunction	혈소판기능장애
platelet factors	혈소판인자
platelet function analyzer (PFA-100)	혈소판기능분석기
platelet membrane	혈소판막
platelet-inhibiting agent	혈소판억제제
plethysmography	체적변동기록(법), 혈량측정(법)
pleura	가슴막, 흉막
pleural cavity	가슴막안, 흉막강
pleural effusion	1.가슴막삼출, 흉막삼출 2.흉막삼출액
pleural line	흉막선
pleural pressure	흉강압
pleurodesis	흉막유착, 흉막유착법
pneumatic system	공기계
pneumococcal vaccine	폐렴구균백신
pneumocystis carinii/jiroveci	주폐포자충
pneumocystis pneumonia	주폐포자충폐렴
pneumocystitis	폐포자충폐렴
pneumocystosis	폐포자충증
pneumomediastinum	종격동기종, 세로칸공기증
pneumonectomy	폐절제술, 허파절제술
pneumonia	폐렴
pneumonia severity index (PSI)	폐렴중증지수
pneumopericardium	공기심장막증, 심낭기종

pneumoperitoneum	공기배증, 기복증
pneumothorax	공기가슴증, 기흉
poisoning	중독
poliomyelitis	회색질척수염
polycystic	뭇주머니-, 다낭-
polycystic kidney	뭇주머니콩팥, 다낭신장
polycystic kidney disease	뭇주머니콩팥병, 다낭신장병
polycythemia	적혈구증가증
polymer-fume fever	중합체-증기열
polymorphic	다형-, 뭇형태-, 여러형태-
polymorphic ventricular tachycardia	다형심실빈맥
polymorphonuclear leukocyte	다형핵백혈구
polymorphonuclear neutrophils (PMN)	다형핵호중구
polymyxin hemoperfusion	폴리믹신혈액관류
polyneuropathy	여러신경병(증), 다발신경병(증)
polyomaviruses	폴리오마바이러스
polyuria	다뇨
port	문, 통로
portal blood pressure	문맥압
portal hypertension	문맥고혈압
portal system	문맥계통, 문맥계
portal vein	문맥, 간문맥
portocaval anastomosis	문맥대정맥연결술
portopulmonary hypertension	문맥폐동맥고혈압

portosystemic encephalopathy	문맥전신순환(성)뇌병(증)
portosystemic shunting	문맥전신순환단락
positive end-expiratory pressure (PEEP)	호기말양압
positive pressure	양압
positive pressure ventilation	양압환기
positive sign	확정징후
positron emission tomography (PET)	양전자방출단층촬영술
post intensive care syndrome (PICS)	집충치료후증후군
postanesthesia care unit (PACU)	회복실
postanoxic myoclonic status epilepticus	저산소성간대성근경련 간질중첩증
postcardiac arrest care	심정지후치료
postcardiac arrest syndrome	심정지후증후군
postcardiac injury syndrome	심정지후손상증후군
postcardiotomy cardiogenic shock	개심술후심인성 쇼크
postcoarctectomy syndrome	대동맥교약증수술후증후군
postectopic pause	후이소성휴지기
posterior axillary line	후액와선, 뒤겨드랑선
posterior cord syndrome	후방척수증후군
posterior leukoencephalopathy	후백질뇌병증
posterior mediastinitis	후종격동염
posterior multifocal leukoencephalopath	후다발성백질뇌병증
posterior pituitary gland	뒤뇌하수체
posterior reversible encephalopathy syndrome	가역적후뇌병증증후군
posterior segmental bronchus	뒤구역기관지

posterior tibial artery	뒤정강동맥
posthypercapnic alkalosis	고탄산혈증후알칼리증
postinfarction pericarditis	심근경색후심낭염
postobstructive diuresis	폐쇄후이뇨
postpartum hemorrhage	분만후출혈
postpericardiotomy syndrome	심낭막절개술후증후군
postrenal azotemia	콩팥후질소혈증
postsplenectomy infection	비장적출후 감염
postsplenectomy sepsis	비장적출후 패혈증
poststreptococcal glomerulonephritis	사슬알균감염후토리콩팥염, 연쇄구균감염후사구체신염
postthrombotic syndrome	혈전후증후군
posttransfusion purpura (PTP)	수혈후자색반
posttransplant lymphoproliferative disorder	이식후림프세포증식병
posttraumatic pulmonary pseudocyst	외상성가성폐낭종
posttraumatic stress disorder (PTSD)	외상신경증
postural drainage	체위배출(술), 체위배액(술)
potassium	칼륨
potassium channel opener	칼륨통로개방제
potassium chloride	염화칼륨
potassium phosphate	인산이수소칼륨
poxviruses	폭스바이러스
pralidoxime	프랄리독심
prebiotics	프리바이오틱스

precapillary arteriol	모세혈관이전세동맥
preclinical period	발현전 시기
precordial thumb	전흉부강타법
prednisolone	프레드니솔론
preeclampsia	임신중독증
preemptive analgesia	선제진통, 선행진통
preemptive therapy	선제적치료
pregnancy	임신
preload	전부하, 예비하중
premature incubator	미숙아보육기
premature infant	미숙아, 조산아
premature termination	조기종결
premature ventricular contraction	조기심실수축, 심실기외수축
preoxygenation	1.마취전산소투여 2.예방산소투여
prerenal azotemia	콩팥전질소혈증
pressor	승압제
pressor agent	승압제, 혈압상승제
pressure	압력, 압
pressure bandage	압박붕대
pressure change	압력변화
pressure gradient	압력기울기, 압력차
pressure reactivity index	압력반응지표
pressure support	압력보조

pressure support ventilation (PSV)	압력보조환기
pressure triggering	압력유발
pressure ulcers	압력궤양
pressure volume curve	압력용적곡선
pressure-controlled ventilation (PCV)	압력조절환기(법)
pressure-regulated volume control	압력규제용량조절
prevalence	유병률
prevention	예방
prevertebral space	척추앞공간, 척추전공간
primary abdominal compartment syndrome	일차성복강구획증후군
primary adrenal insufficiency	일차성부신기능저하증
primary aldosteronism	원발알도스테론증
primary amebic meningoencephalitis	아메바수막뇌염
primary blast injury	일차성폭발 손상
primary graft dysfunction	이식편부전
primary graft failure	일차이식편부전
primary hyperammonemia	일차성고암모니아혈증
primary hypoparathyroidism	일차성부갑상선항진증
primary percutaneous coronary intervention (PCI)	일차성경피적관상동맥 중재술
primary polydipsia	원발다음증, 원발다음다갈증
primary pulmonary hypertension	일차성폐고혈압
primary spontaneous pneumothorax	원발자연기흉
primary survey	일차평가

probability	확률
probable sign	임신가능징후
probe	더듬자, 탐색자
probiotics	프로바이오틱스
procainamide	프로카인아미드
procalcitonin	프로칼시토닌
processing	처리, 과정
production	생산
production rate	생산율
prognosis	예후, 예측
progressive disseminated histoplasmosis	진행파종히스토플라스마증
progressive encephalopathy	진행뇌병증
progressive multifocal leukoencephalopathy	진행다초점백(색)질뇌병(증)
progressive myopia	진행근시
proinflammatory mechanism	염증유발기전
proliferation	증식
proliferative change	증식성변화
proliferative stage	증식기
prolonged life support	지속소생술, 연장소생술
prone position	복와위,엎드린자세
propafenone	프로파페논
propagation	전파
propionic acidemia	프로피온산혈증
propofol infusion syndrome (PRIS)	프로포폴 주입 증후군

proportional assist ventilation (PAV)	비례압력보조환기
proportional pressure support (PPS)	압력비례호흡보조
propylene glycol	프로필렌글라이콜
prostacyclin	프로스타싸이클린
prostaglandin	프로스타글란딘
prostanoids	프로스타노이드
prostate cancer	전립샘암
prostatic abscess	전립선 농양
prostatitis	전립샘염
prosthetic valves	인공판막
protamine	프로타민
protbrombin complex concentrates	프로트롬빈복합농축
protease	단백분해효소
protease inhibitor	단백분해효소억제제
protease-activated receptor (PAR)	단백분해효소활성수용체
protected specimen brushing	이중 보호막 솔질
protein	단백, 단백질
protein binding	단백질결합
protein C	C 단백
protein kinase A	단백질키나아제A
protein S	S 단백
protein substance	단백물질
protein transpeptididase enzyme	단백펩티드전이효소
protein-bound calcium	단백질결합칼슘

proteolysis	단백질분해
proteolytic enzyme	단백질분해효소
proteomics	단백질체학
prothrombin	프로트롬빈
prothrombin time (PT)	프로트롬빈시간
proton pump inhibitor	양성자펌프억제제
protozoan infection	원충감염
proximal renal tubular acidosis	콩팥 근위요세관산증, 신근위세관산증
proxy decision	대리결정
pseudoaneurysm	거짓동맥류
pseudocyst	거짓주머니, 가성낭
pseudofusion beat	거짓융합박동, 가성융합박동
pseudohyperkalemia	거짓고칼륨혈증
pseudohyponatremia	가성저나트륨혈증
pseudohypoparathyroidism	거짓부갑상샘저하증, 거짓부갑상선저하증
pseudomonas aeruginosa	녹농균
pseudorespiratory alkalosis	거짓호흡알칼리증
pseudothrombocytopenia	거짓혈소판감소증
psychiatric disorder	정신질환, 정신이상
psychogenic coma	정신성혼수, 심인성혼수
psychogenic polydipisa	정신성다음증, 심인성다음증
psychological trauma	심리적외상

pulmonary artery stenosis	폐동맥협착
pulmonary	폐-, 허파-
pulmonary alveolar proteinosis	허파꽈리단백증, 폐포단백증
pulmonary angiography	폐동맥조영술
pulmonary arterial hypertension	폐동맥고혈압
pulmonary arteriovenous malformation	폐동정맥기형
pulmonary artery	허파동맥, 폐동맥
pulmonary artery banding	폐동맥띠감기
pulmonary artery catheter	폐동맥도관, 폐동맥카테터
pulmonary artery catheterization	폐동맥카테터삽입, 폐동맥카테터삽입술
pulmonary artery occlusion pressure	폐동맥폐쇄압력
pulmonary artery pressure	폐동맥압력
pulmonary artery sling	폐동맥걸이(술)
pulmonary artery wedge pressure	폐동맥쐐기압, 허파동맥쐐기압
pulmonary aspergillosis	폐아스페르길루스증
pulmonary atresia with intact ventricular septum	심실중격결손이 없는 폐동맥 폐쇄
pulmonary blood flow rate	폐혈류량
pulmonary burn	호흡기계화상
pulmonary capillaritis	폐모세혈관염
pulmonary capillary	폐모세혈관
pulmonary capillary blood	폐모세혈관혈액
pulmonary capillary membrane	폐모세혈관막

pulmonary capillary shunt	폐모세혈관단락
pulmonary capillary wedge pressure	폐모세혈관쐐기압, 허파모세혈관쐐기압
pulmonary circulation	폐순환
pulmonary compliance	폐탄성
pulmonary congestion	폐울혈
pulmonary contusion	폐좌상
pulmonary edema	폐부종
pulmonary embolism	폐색전증
pulmonary Embolism Severity Index	폐색전증증도지수
pulmonary emphysema	폐기종
pulmonary end-capillary	폐모세혈관말
pulmonary endothelial dysfunction	폐내피세포기능장애, 허파내피세포기능장애
pulmonary fibrosis	폐섬유화
pulmonary function	폐기능
pulmonary function test	폐기능검사
Pulmonary gangrene	폐괴저
pulmonary hypertension	폐동맥고혈압, 허파동맥고혈압
pulmonary hypertensive crisis	폐동맥고혈압위기, 허파고혈압위기
pulmonary hypoxia	폐포저산소증
pulmonary infection	폐감염
pulmonary insufficiency	폐기능부전, 허파기능부전

pulmonary interstitial edema	폐(허파)간질부종, 폐(허파)사이질부종
pulmonary interstitium	폐간질
pulmonary laceration	폐열상
pulmonary mechanics	폐역학
pulmonary oxygen toxicity	폐산소독성
pulmonary perfusion	폐관류, 허파관류
pulmonary pseudocyst	폐가성낭종
pulmonary resistance	폐혈관저항, 허파혈관저항
pulmonary shunt	폐단락
pulmonary valvular stenosis	허파동맥판막협착(증), 폐동맥판막협착(증)
pulmonary vascular disease	폐혈관질환
pulmonary vascular endothelial cell	폐혈관내피세포
pulmonary vascular perfusion	폐혈관관류
pulmonary vascular resistance (PVR)	폐혈관저항
pulmonary vascular resistance index	폐혈관저항지수
pulmonary vascular system	폐혈관계
pulmonary vein	폐정맥
pulmonary vessel	폐혈관
pulmonic valve disease	폐동맥판질환
pulsatility index	박동성지수
pulse	1. 맥박 2. 파 3. 펄스
pulse contour analysis	박동 윤곽 분석

pulse indicator continuous cardiac output system (PICCO system)	연속적맥박 표시 심박출량시스템
pulse oximeter	맥박산소측정기
pulse oximetry	맥박산소측정(법)
pulse pressure	맥박압, 맥압
pulse rate	맥박수
pulsed-wave doppler	간헐파형도플러
pulseless electrical activity (PEA)	무맥박전기활동
pulseless ventricular tachycardia	무맥성심실빈맥
pulsus paradoxus	모순맥박
pupillary reflex	동공반사
pupillometer	동공측정계
purified water	정제수
purpura	자색반(증), 자반(증)
purpura fulminans	전격자반
purulent sputum	고름가래
putaminal hemorrhage	피각/조각비핵 출혈
pyelonephritis	신우신염, 깔때기콩팥염
pyloric antrum	날문방
pyloric stenosis	날문협착, 유문협착
pyocephalus	뇌고름집, 뇌농양
pyogenic liver abscess	화농성간농양
pyothorax	고름가슴증, 농흉
pyrexia	열, 발열

pyroglutamic acidosis	피롤리돈카복실산
pyruvate	피루브산염
pyruvate dehydrogenase	피루브산염탈수소효소
pyruvate dehydrogenase deficiency	피루브산탈수소효소 결핍증
pyuria	고름뇨, 농뇨

Q

Q fever	Q열
QT interval	QT간격
quality	1.질 2.정성
quality improvement	질향상
quality of life	삶의질
quality-adjusted life year	삶의질 고려한 여명
quantitative computed tomography	정량적전산화단층촬영법
quinidine	퀴니딘
quinsy	편도주위고름집, 편도주위농양
quorum-sensing effect	정족수감지효과

rabbit antithymocyte globulin	토끼항흉선세포글로불린
rabies	광견병
radial artery cannulation	요골동맥관삽입술
radiation accidents	방사선 사고
radiation pericarditis	방사선 심막염
radiation therapy induced thrombocytopenia	방사선치료유발혈소판저하증
radical cure	근치, 근본치료
radiodiagnosis	방사선진단(법)
radiolabeled red blood cell scan	방사선식별적혈구
radionuclide dispersal devices	방사선동위원소확산기
radionudide imaging	방사선투과검사
radiotherapy	방사선치료, 방사선요법
rale	거품소리, 수포음
randomized controlled trial	무작위대조시험
rapid distribution phase	급속분포기
rapid microbiological diagnostics	신속미생물진단법
rapid neurologic examination	신속신경검진
rapid peripheral compartment	빠른말초구획

rapid response system (RRS)	신속대응팀
rapid responsive thermistor	급속반응서미스터
rapid sequence intubation	급속기관내삽관
rapid shallow breathing index (RSBI)	빠르고얕은호흡지수
rapid turn-over proteins	빠른전환단백
rapidly progressive glomerulonephritis	급속진행토리콩팥염, 급속진행사구체신염
rash	발진
rasmussen aneurysm	라스무센동맥류
rat bite fever	쥐물음열
rate-dependent aberrancy	속도의존편위전도
Raynaud's disease	레이노병
reabsorption	재흡수
reaction	반응
reactive oxygen radical	활성산소기
reactive oxygen species (ROS)	활성산소종
reactive thrombocytosis	반응성 혈소판증
reactive upper airway dysfunction syndrome	반응성 상기도장애증후군
reactivity	반응성
rebleeding	재출혈
rebound tenderness	반동압통, 되튐통증
rebreathing	재호흡
rebreathing system	재호흡장치
receptor	수용체, 수용기

recombinant activated factor VII	재결합활성인자 VII
recovery	회복
recovery state	회복상태
recovery unit	회복실
rectal bleeding	직장출혈, 곧창자출혈
rectal tube	직장관, 곧창자관
recurrence	재발
recurrence rate	재발률
recurrent urinary tract infection	재발요로감염
red blood cell serology	적혈구혈청학
red blood cell transfusion	적혈구수혈
redistribution	재분포
redistribution phase	재분포기
reduction	1.맞춤, 교정, 정복(술) 2.환원 3.축소(술) 4.약분
reentrant arrhythmia	회귀부정맥
reentry tachycardia	재입빠른맥
reexpansion pulmonary edema	재팽창폐부종
refeeding syndrome	영양재개증후군, 급식재개증후군
reflex	반사
refractory shock	불응쇼크
refractory status epilepticus	난치성경련중첩증
regeneration	재생
regional anesthesia	부위마취

rehabilitation	재활
relapsing fever	재귀열, 재발열
relative operating characteristic curve (ROC curve)	수신자조작특성곡선
relaxation phase	이완기, 이완상
renal	콩팥-, 신장-
renal abscess	신장농양
renal artery	콩팥동맥, 신장동맥
renal artery stenosis	신장동맥협착
renal blood flow	콩팥혈류량, 신혈류량
renal cortex	콩팥겉질, 신장피질
renal dysfunction	콩팥기능장애, 신기능장애
renal failure	콩팥기능상실, 신부전
renal fibrosis	신장섬유화
renal insufficiency	콩팥기능부족, 신장기능부족
renal replacement therapy	신대체요법
renal support	신장보조
renal sympathetic nerve	콩팥교감신경
renal transplantation	콩팥이식(술), 신장이식(술)
renal tubular acidosis	콩팥요세관산증, 신세관산증
renal tubule	콩팥요세관
renal ultrasonography	신장초음파
renal venous pressure	콩팥정맥압
renin	레닌
renin-angiotensin-aldosterone system	레닌-앤지오텐신-알도스테론계통

renovascular hypertension	콩팥혈관고혈압, 신장혈관고혈압
reperfusion	재관류
reperfusion arrhythmia	재관류부정맥
reperfusion injury	재관류손상
reperfusion therapy	재관류치료
replacement fluid	대치액, 보액
replacement therapy	대치요법
replication	복제, 반복
repolarization	재분극
rescue therapy	구조요법
reservoir	1.저장소 2.수조 3.보유 4.병원소
reservoir capacity	저장기용량
reservoir system	저장장치, 보유장치
residual volume (RV)	잔기량, 남은공기량
resistance	내성, 저항, 저항성
resistibility	저항력, 저항성
resource allocation	자원분배
respiration	호흡
respiratory accessory muscle	부호흡근
respiratory acidosis	호흡산증
respiratory alkalosis	호흡알칼리증
respiratory arrest	호흡정지
respiratory bronchial tree	호흡폐기관지수상구조
respiratory bronchiole	호흡세기관지

respiratory center	호흡중추
respiratory cycle	호흡주기
respiratory distress	호흡곤란
respiratory distress syndrome	호흡곤란증후군
respiratory disturbance syndrome	호흡장애증후군
respiratory dysfunction	호흡기능장애
respiratory failure	호흡기능상실, 호흡부전
respiratory gas exchange	호흡가스교환
respiratory insufficiency	호흡기능부전
respiratory mechanics	호흡역학
respiratory movement	호흡운동
respiratory muscle	호흡근
respiratory pattern	호흡양상
respiratory rate (RR)	호흡수, 호흡률
respiratory rate (RR)/minute	분시호흡수
respiratory rehabilitation	호흡재활
respiratory resistance	호흡저항
respiratory stenosis	기도협착(증)
respiratory syncytial virus	호흡기세포융합바이러스
respiratory system	호흡계통, 호흡계
respiratory time constant (RC)	호흡시간상수
respiratory work	호흡일
response	반응
responsiveness	반응도

resting energy expenditure	휴식에너지소비량
resting phase	휴식기, 사이기
resting potential	안정전위
restless leg syndrome	하지불편증후군, 하지불안증후군
restriction	제한
restrictive allograft syndrome	제한적 동종이식 증후군
restrictive cardiomyopathy	제한심장근육병(증), 제한심근병(증)
restrictive disease	제한(성)질환
restrictive lung disease	제한(성)폐질한
restrictive pulmonary disease	제한(성)폐질환
restrictive ventilatory failure	제한환기부전
resuscitation	1.소생 2.소생술
resuscitative thoracotomy	소생개흉술
retained dead fetus	잔류사망태아
retained placenta or amnion	잔류태반 혹은 양막
retention	1.정체, 잔류 2.유지 3.보정 4.기억(력)
reticular activating system	망상체활성화계, 망상활성계
reticuloendothelial	그물내피-, 망상내피-
reticuloendothelial cell	그물내피세포, 망상내피세포
reticuloendothelial system	그물내피계통, 망상내피계
retina	망막
retinal detachment	망막박리

retinal edema	망막부종
retinal vessel	망막혈관
retinal vessel proliferation	망막혈관증식
retinopathy of prematurity (ROP)	미숙아망막증
retrobulbar edema	안구뒤부종
retrognathism	아래턱뒷당김, 하악후퇴(증)
retrograde intubation	역행기관내삽관
retrolental	수정체뒤-
retrolental fibroplasias	수정체뒤섬유증식
retropharyngeal space	인두뒤공간
retrovirus	레트로바이러스
reuptake	재흡수, 재섭취
revascularization	혈관재형성, 혈관재건(술), 혈관재개통
reverse use-dependent block	역사용의존적 차단
reversible	가역적인
reversible posterior leukoencephalopathy	가역적후백질뇌증
reversible vasoconstriction syndrome	가역적혈관수축증후군
revised trauma score	개정외상점수
rhabdomyolysis	횡문근융해
rheumatic heart disease	류마티스성심장병
rheumatoid arthritis	류마티스관절염
rhinitis	코염, 비염
rhonchi	빽빽거림

rib fractures	늑골골절
rickets	구루병
richettsiosis	리케차증
Richmond Agitation-Sedation Scale (RASS)	리치몬드 불안-진정척도
RIFLE (Risk, Injury, Failure, Loss of kidney function, and End-stage kidney disease)	급성신손상평가
right atrium	오른심방, 우심방
right bundle branch block (RBBB)	우각블록, 우각차단
right heart failure	우심부전
right lower lobe	우하엽
right main bronchus	우측(주)기관지
right shift	우측전위
right sided cardiac output	우심박출량
right to left shunt	오른왼쪽션트, 우좌션트
right upper lobe	우상엽
right ventricle (RV)	오른심실, 우심실
right ventricular afterload	우심실후부하
right ventricular dysfunction	오른심실기능장애, 우심실기능장애
right ventricular ejection	우심실박출
right ventricular ejection fraction (EF)	우심실박출계수
right ventricular failure	오른심실기능상실, 우심실부전
right ventricular output	우심실박출량
right ventricular overload	우심실과부하

right ventricular pressure	우심실압
right ventricular stroke volume	우심실일회박출량
right ventricular stroke work index	오른심실박출작업지수, 우심실박출작업지수
right-sided heart catheterization	우심도자술
right-to-left shunts	우좌단락
rigid bronchoscope	경직성기관지경
rigidity	경축, 과다굳음
Ringer's acetate solution	링거초산용액
Ringer's lactate solution	링거젖산용액
risk	위험, 위험도
risk factor	위험인자
rocky mountain spotted fever	록키산홍반열
room air	실내공기, 대기
routine dosage	상용량
roving eye movement	로빙안구운동
rubella	풍진
rupture	파열, 터짐

salbutamol	살부타몰
saline	1.염류- 2.식염- 3.식염수
salt	1.염 2.소금
salt restriction	염분제한
salt retention	염분저류
SaO_2 (arterial oxygen saturation)	동맥혈산소포화도
saphenous vein	두렁정맥
sarcoidosis	사르코이드증
saturated fatty acid	포화지방산
scale	1.눈금 2.척도, 등급 3.축척 4.저울 5.비늘 6.관석, 물때 7.스케일
scapula	어깨뼈, 견갑골
scar	흉터
scar tissue	흉터조직
scarlet fever	성홍열
schistocytes	분열적혈구증
schistosoma haematobium	방광주혈흡충
schistosomiasis	주혈흡충증

scintigraphy 섬광조영(술)
scleroderma 피부경화증, 피부굳음증
score 점수
screening test 선별검사
scrub typhus 츠츠가무시병
seashore sign 해안징후
secondary abdominal cornpartment syndrome 이차성복부구획증후군
secondary adrenal insufficiency 이차성부신기능부전
secondary bacterial peritonitis 이차성세균성복막염
secondary hyperaldosteronism 이차성고알도스테론증
secondary hyperammonemia 이차성고암모니아혈증
secondary hypoparathyroidism 이차성부갑성성기능저하증
secondary oxidation 이차산화
secondary peritonitis 이차성복막염
secondary spontaneous pneumothorax 속발자연기흉
secondary survey 이차조사
second-degree atrioventricular block 2도방실차단
secretion 1.분비 2.분비물
secretory diarrhea 분비성설사
sedation 진정
sedation agitation scale 수면불안척도
sedation holidays 수면휴지기
sedative 1.진정- 2.진정제
sedative 진정-, 진정제

sedative-hypnotics 수면진정
segment 1.조각, 분절, 마디 2.부분 3.구역 4.분엽
segmental bronchus 구역기관지
seizure 발작
seldinger technique 셀딩거법
selenium 셀레늄
semipermeable membrane 반투막
sensitization 1.민감화, 감작 2.면역화
sensory 1.감각- 2.감각성-
sensory function 감각기능
sentinel event 전초사건
sepsis 패혈증
sepsis syndrome 패혈증증후군
septic embolism 패혈색전증
septic encephalopathy 패혈뇌병(증)
septic shock 패혈쇼크
sequela 1.후유증 2.결과
sequential organ failure assessment (SOFA) score SOFA점수
serial transverse enteroplasty 순차적가로창자성형술
serum-ascites albumin gradient (SAAG) 혈장복수알부민 격차
severe acute respiratory syndrome (SARS) 중증급성호흡증후군
severe fever with thrombocytopenia syndrome (SFTS) 중증열성혈소판감소증후군

severe sepsis	중증패혈증
severity	중증도
sexual abstinence	금욕
shallow breath	얕은호흡
shearing injury	엇갈림손상, 전단손상
shift to right	오른쪽으로 전위
shingles	대상포진, 띠헤르페스
shivering	떨림, 전율
shock	1.쇼크 2.충격
short acting	단기작용
short bowel syndrome	짧은창자증후군
shortness of breath	호흡곤란, 숨참
shunt	1.지름길, 사잇길 2.션트, 지름
shunt effect	지름길효과, 션트효과
shunt rate	션트율
sick euthyroid syndrome	정상갑상선질환증후군
side effect	부작용
sigh	한숨
sigmoid shape curve	구불모양곡선
sign	징후
signal transduction	신호전달
simple oxygen mask	단순산소마스크
simple partial nonconvulsive status epilepticus	단순부분경련중첩증
simplified acute physiology score (SAPS)	SAPS

simulation-based learning	시뮬레이션기반학습
single lung transplantation	단일폐이식
sinoatrial node	굴심방결절, 동심방결절
sinus arrest	굴정지, 동정지
sinus arrhythmia	굴부정맥, 동성부정맥
sinus bradycardia	굴느린맥, 동성서맥
sinus tachycardia	굴빠른맥, 동성빈맥
sinusitis	1.굴염, 동염
	2.코곁굴염, 부비동염
	3.정맥굴염, 정맥동염
sinusoid sign	굴모양 증후
skeletal muscle	뼈대근육, 골격근
skin	피부
skin color	피부색깔
skin dilator	피부확장기
slope	1.기울기 2.경사면
slow continuous therapy	서행지속치료
slow distribution phase	완만분포기
slow lung unit	느린폐단위
small intestine	작은창자, 소장
smallpox	마마, 천연두
smoker	흡연자
smoking	흡연
smooth muscle	민무늬근육, 평활근

snake bite	뱀물림(교상)
snares	올가미
sneeze	재채기
sodium (Na)	나트륨
sodium bicarbonate ($NaHCO_3$)	중탄산염나트륨
sodium channel	나트륨통로
sodium chloride	염화나트륨
sodium thiosulfate	티오황산나트륨
soft palate	연구개, 물렁입천장
soft tissue	연조직, 물렁조직
soft water	단물, 연수
soft-tissue infections	연부조직감염
solid organ transplantation	고형장기이식
solubility	용해도
solubility coefficient	용해계수
solute diuresis	용질이뇨
solvent	용매, 용제
somatosensory evoked potentials (SEP)	몸감각유발전위검사, 체성감각유발전위검사
somatostatin	성장호르몬억제인자, 소마토스타틴
somnolence	졸림, 기면
source control	근원통제
South American hemorrhagic fever	남아메리카출혈열

spasticity	경직, 강직
specific	특이-, 특정-
specificity	1.특이성, 2.특수성
spectrum	1.스펙트럼 2.범위, 구역
spinal cord injury	척수손상
spinal infections	척수감염
spinal paradural abscess	척수경막주변농양
spinal shock	척수쇼크
spine	1.가시 2.척추 3.척주
spirometry	폐활량측정법
spironolactone	스피로놀락톤
splanchnic circulation	내장순환
splanchnic effect	내장효과
splanchnic hypoperfusion	내장저관류
splanchnic ischemia	내장허혈
splanchnic vasculitis	내장혈관염
spleen	지라, 비장
splenomegaly	지라비대, 비장비대
splint	덧대, 부목
splinting	부목고정
spondylitis	척추염
spontaneous bacterial peritonitis	자발성복막염
spontaneous breathing	자발호흡
spontaneous breathing trials	자발성호흡시험

spontaneous pneumothorax	자발공기가슴증, 자발기흉
spontaneous respiration	자가호흡
spontaneous self-respiration	자발자가호흡
sputum	가래
sputum mycobacteria film examination	객담항상균도말검사
squamous cell	편평세포
squamous cell carcinoma	편평세포암종
squamous cell carcinoma in situ	편평세포제자리암종
squamous cell layer	편평세포층
squamous epithelioma	편평상피종
squamous epithelium	편평상피
squamous metaplasia	편평상피화생
stable	안정
stable angina	안정협심증
stage	1.기, 시기, 병기 2.단계 3.단, 대
standardized mortalíty ratio	표준화사망비
standing position	기립자세
Staphylococcal	포도알균-, 포도구균-
Staphylococcal alpha toxin	포도알균알파독소
Staphylococcal bacteremía	포도알균혈증, 포도구균혈증
Staphylococcus aureus	황색포도알균, 황색포도구균
starch	녹말, 전분
starvation	기아, 굶주림
stasis	정체, 울혈

static lung compliance	정적폐탄성, 정적허파탄성, 정적폐유순도
static state	정적상태
statins	스타틴
status asthmaticus	천식지속상태, 천식지속증
status epilepticus	경련중첩증
steady state	항정상태, 정상상태
steatolysis	지질분해, 지방분해
steatorrhea	지방변증
steep	급격한
ST-elevation myocardial infarction (STEMI)	에스티분절상승 심근경색증
stem	줄기, 간
stem cell	줄기세포
stenosis	협착(증)
stent	1.스텐트, 내관 2.덧대
stent insertion	스텐트삽입술
step down unit	준중환자실
sternal wound infection	흉골상처감염
sternocleidomastoid muscle	목빗근, 흉쇄유돌근
sternum	복장뼈, 흉골
steroid	스테로이드
stiffness	경직, 강직
stimulation	1.자극 2.자극치료
stimulus	자극

stomach cancer	위암
Streptococcal	사슬알균-, 연쇄구균-
Streptococcal myonecrosis	연쇄구균근괴사
Streptococcal pharyngitis	연쇄구균인두염, 사슬알균인두염
Streptococcus	사슬알균, 연쇄구균
Streptococcus pneumoniae	폐렴사슬알균, 폐렴연쇄구균
streptokinase	스트렙토키나아제
stress	1.스트레스 2.응력, 부하
stress echocardiography	부하심(장)초음파검사, 부하심(장)초음파(술)
stress ulcer	스트레스궤양
stress ulcer prophylaxis	스트레스궤양예방
stress-induced cardiomyopathy	스트레스유발심근병증
stress-related mucosal disease	스트레스관련점막질환
stridor	그렁거림, 협착음
stroke	1.뇌졸중 2.발작 3.박동
stroke volume	일회박출량
stroke volume index	박출량지수
strong ion difference	강이온차이
structure	1.구조 2.조직 3.구조물
stupor	혼미
subacute disseminated intravascular coagulation	아급성파종혈관내응고증
subaortic stenosis	대동맥판하협착(증)
subarachnoid	거미막밑-, 지주막하-

subarachnoid bolt	거미막밑볼트
subarachnoid hemorrhage	거미막밑출혈
subclavian artery	빗장밑동맥, 쇄골하동맥
subclavian vein	빗장밑정맥, 쇄골하정맥
subclavian vein catheterization	빗장밑정맥도관삽입, 빗장밑정맥카테터삽입
subclinical electrical status epilepticus	무증상뇌파상경련중첩
subcortical	겉질밑-, 피질하-
subcutaneous (SC) injection	피부밑주사, 피하주사
subcutaneous emphysema	피부밑공기증, 피하기종
subcutaneous tissue	피부밑조직, 피하조직
subdural hematoma	경막밑혈종, 경막하혈종
subglottic stenosis	성대문밑협착(증), 성문하협착(증)
sublingual	혀밑-, 설하-
sublingual tonometry	혀밑압측정(법), 설하압측정(법)
subpulmonary artery stenosis	허파밑동맥협착, 폐하동맥협착
subsegmental bronchus	구역기관지가지
sucralfate	수크랄페이트
suction	흡인, 빨기
sudden infant death syndrome (SIDS)	영아돌연사증후군
sugar	1.당 2.당질 3.설탕
sulfur dioxide	이산화황
superficial	얕은, 표재-, 표면-
superficial phlebitis	표재정맥염

superficial temporal artery	표재관자동맥, 얕은관자동맥, 천측두동맥
superior mesenteric artery	위창자간막동맥, 상장간막동맥
superior mesenteric artery syndrome	위창자간막동맥증후군, 위장간막동맥증후군
superior segmental bronchus	꼭대기구역기관지
superior vena cava (SVC)	위대정맥, 상대정맥
superior vena cava syndrome	위대정맥증후군, 상대정맥증후군
superoxide (O_2^-)	초과산화물
superoxide dismutase (SOD)	초과산화물디스뮤타아제, 초과산화물불균등화효소
supine hypotensive syndrome	누운자세저혈압증후군, 앙와위저혈압증후군
supine position	앙와위
supplement	보충
supplementary administration	보조투여
supplementary therapy	보충요법
support	1.지지, 받침 2.지지물, 받침대 3.지원 4.보조
suppurative phlebitis	화농정맥염
suppurative thrombophlebitis	화농혈전정맥염
supraglottic area	성대위부위
supraglottis	성대위, 성문상
suprasternal notch	목아래패임, 흉골상절흔

supraventricular arrhythmia	상심실성부정맥
supraventricular tachycardia	상심실성빈맥
surface tension	표면장력
surfactant	표면활성제, 표면활성물질
surgery	1.외과학 2.외과 3.수술
surgical complication	수술합병증
surgical intensive care unit (SICU)	외과계중환자실
surrogate decision	대리결정
survey	조사
survival rate	생존율
suture	봉합, 꿰맴
Swan-Ganz catheter	스완간즈카테터
sweating	땀남, 발한
symmetry	1.대칭 2.대칭성
sympathetic nerve accentuation	교감신경기능항진
sympathetic syndrome	교감신경증후군
symptom	증상
symptomatic therapy	대증요법
synchronized	동기성
synchronized cardioversion	동기화심장율동전환
synchronized intermittent mandatory ventilation (SIMV)	동조간헐필수환기
syncope	실신
syndrome	증후군

syndrome of inappropriate antidiuretic hormone (SIADH) 항이뇨호르몬부적절분비증후군
synthesis 1. 합성, 생성 2. 접합
syphilis 매독
systemic 1. 전신성- 2. 체계적
systemic circulation 온몸순환, 체순환
systemic inflammatory reaction 전신염증반응
systemic inflammatory response syndrome (SIRS) 전신염증반응증후군
systemic lupus erythematosus (SLE) 전신홍반루푸스
systemic toxin 전신적독성제
systemic vascular resistance (SVR) 전신혈관저항
systemic vascular resistance index (SVRI) 전신혈관저항지수
systemic venous pressure 전신정맥압
systolic function 수축기기능
systolic pressure 수축기압

tachyarrhythmia	빠른부정맥, 부정빈맥
tachycardia	빠른맥, 빈맥
tachycardia-induced cardiomyopathy	빠른맥유발심근증, 빈맥유발심근증
tachydysrhythmias	빠른부정맥, 부정빈맥
tachyphylaxis	빠른내성, 빠른면역화, 타키필락시스
tachypnea	빠른호흡, 빈호흡
Takotsubo cardiomyopathy	타코쯔보심근병증
talc	활석
talcosis	활석증
tamponade	눌림증, 탐퐁대기
telemedicine	원격의료
temperature	온도
temporary pacemaker	임시박동조율기
tenderness	압통, 누름통증
tension	긴장, 장력
tension pneumothorax	긴장기흉
tentorium cerebelli	소뇌천막

terminal bronchiole	종말세기관지
terminal phase	종말기
test	검사, 시험
tetanus	파상풍, 테타너스
tetany	테타니
tetracycline derivative	테트라사이클린(tetracycline)유도체
Tetralogy of Fallot	팔로네증후
thalamic hemorrhage	시상출혈
thebesian vein	테베시우스(thebesian) 정맥
theophylline	테오필린
therapeutic drug monitoring (TDM)	치료약물농도감시
thermal injury	열상
thermodilution curve	열희석곡선
thermodilution method	열희석법
thiamine	티아민
thiazide	티아지드
thickening	비후
third heart sound	제3심음
third-degree atrioventricular block	삼도방실차단
thirst	갈증
thoracentesis	가슴천자, 흉강천자
thoracic aorta	가슴대동맥, 흉부대동맥
thoracic cavity	가슴안, 흉강
thoracic endovascular aortic repair (TEVAR)	흉부혈관내대동맥치료

thoracic outlet syndrome	가슴문증후군, 흉곽출구증후군
thoracic trauma	흉부외상
thoracoscope	가슴안보개, 흉강경
thoracoscopic pleurodesis	흉강경흉막유착
thoracostomy	가슴관삽입(술), 흉강삽관(술)
thoracotomy	가슴절개술, 개흉술, 흉강개구술
throat	인후, 목구멍
thrombectomy	혈전제거술
thrombin	트롬빈
thrombin time	트롬빈시간
thrombocytopenia	저혈소판증
thromboelastography	트롬보엘라스토그라피
thromboembolism	혈전색전증
thrombolytic action	혈전용해작용
thrombolytic agent	혈전용해제
thrombolytic therapy	혈전용해요법
thrombolytics	혈전용해
thrombopenia	저혈소판증
thromboplastin	트롬보플라스틴
thrombosis	혈전증
thrombotic microangiopathies	혈전미세혈관병(증)
thrombotic thrombocytopenic purpura (TTP)	혈전혈소판감소자색반병
thrombus	혈전
thymectomy	가슴샘절제(술), 흉선절제(술)

thymoma	가슴샘종, 흉선종
thyroid cancer	갑상선암
thyroid disorder	갑상샘질환
thyroid function tests	갑상샘기능검사
thyroid hormones	갑상샘호르몬
thyroid peroxidase	갑상샘과산화 효소
thyroid storm	갑상샘중독발작
thyroid-binding globulin	갑상샘결합 글로불린
thyroid-releasing hormone (TRH)	갑상샘분비호르몬
thyroid-stimulating hormone (TSH)	갑상샘자극호르몬
thyrotoxicosis	갑상샘항진증
thyrotropin	갑상샘자극호르몬
thyroxine (T4)	티록신
tickborne encephalitis	진드기매개뇌염
tidal volume	일회호흡량
time constant	시간상수
tissue	조직
tissue antioxidant capacity	조직항산화능
tissue damage	조직손상
tissue factor	조직인자
tissue factor pathway inhibitor (TFPI)	조직인자경로억제제
tissue hypoxia	조직저산소증
tissue oxygenation	조직산소화
tissue perfusion	조직관류

tissue plasminogen activator	조직플라스미노겐활성제
tissue plasminogen kinase	조직플라즈미노겐활성효소
tissue respiration	조직호흡
tissue valve	조직판막
toe	발가락
tolerance	1. 내성, 견딤 2. 허용
tomogram	단층촬영
tomography	단층촬영술
tonic seizures	강직발작, 긴장발작
tonic-clonic seizure	강직간대발작, 긴장간대발작
tonometry	안압측정(법)
tonsillar herniation	소뇌편도탈출
tonsillitis	편도염
torsades de pointes	염전성심실빈맥
torsades de pointes arrhythmia	염전성심실빈맥부정맥
tortuosity	비틀림
tortuous	사행성
total airway resistance	전체기도저항
total body water	총체액량
total energy expenditure	총에너지소비량
total gas flow	전체가스유량
total lung capacity (TLC)	전폐용량, 온허파용량, 총폐용적
total parenteral nutrition (TPN)	완전비경구영양법
toxemia	임신중독증

toxic	독성-, 중독-
toxic effect	독성효과
toxic epidermal necrolysis	독성표피괴사용해
toxic gas	독성가스
toxic megacolon	독성거대결장
toxic shock	독성쇼크
toxic shock syndrome (TSS)	독소충격증후군
toxicity	독성
toxin	독소
toxoplasma gondii	톡소포자충
toxoplasmosis	톡소포자충증
trachea	기관
tracheal malacia	기관연화증
tracheal ring	기관연골고리, 기관고리
tracheal stenosis	기관협착(증)
tracheal suction	기관흡입
tracheobronchial injury	기관기관지손상
tracheobronchial tree	기관기관지
tracheomalacia	기관연화(증)
tracheostomy	기관절개(술), 기관창냄술, 기관조루술
tracheostomy tube	기관절개튜브
transbronchial lung biopsy	경기관지 폐생검
transbronchial needle aspiration	경기관지 바늘흡인

transcelluar fluid 세포분비액
transcranial Doppler (TCD) 경두개도플러초음파
transcutaneous cardiac pacing 피부통과심박동조율
transdiaphragmatic pressure 경횡경막압
transduction 수분누출
transesophageal echocardiography (TEE) 경식도초음파
transfer 이송
transferrin 트랜스페린
transfusion 수혈
transfusion related acute lung injury (TRALI) 수혈관련폐손상
transjugular intrahepatic portosystemic shunt (TIPS)
목정맥경유간속문맥전신순환션트, 경정맥경유간내문맥전신순환션트
translocation 자리옮김, 전위
transluminal 관혈적
transmigration 이행
transmural arterial pressure 벽경유동맥압
transmural left ventricular pressure 벽경유좌심실압
transmural pressure 벽경유압
transplantation 이식(술)
transpleural pressure 흉막경유압, 가슴막경유압
transport 운반
transpulmonary pressure 폐경유압
transthoracic echocardiography (TTE) 가슴경유심(장)초음파검사, 흉부경유심(장)초음파(술)

transthoracic pressure	가슴경유압, 경흉부압
transtracheal block	기관경유차단, 경기관차단
transudate	누출액
transudation	누출
transvenous cardiac pacing	정맥경유심박동조율, 경정맥유심박동조율
trauma	외상
trauma induced coagulopathy	외상유발응고장애
trauma injury severity score	외상손상중증도점수
trauma intensive care unit (TICU)	외상중환자실
trauma score	외상점수
traumatic brain injury (TBI)	외상뇌손상
traumatic fat necrosis	외상지방괴사
traumatic shock	외상쇼크
treatment	치료, 처치
tremor	떨림
triage	1. 환자분류 2. 중증도분류
triceps skinfold thickness	세갈래근부위 피부두께
tricuspid annular plane systolic excursion (TAPSE)	삼첨판환상면 수축기편위
tricuspid regurgitation	삼첨판역류
tricuspid stenosis	삼첨판협착(증)
tricyclic antidepressant	삼환항우울제
trigger factor	유발요인
triggered activity	유발활동

triggering threshold	유발역치
triglyceride	트리글리세리드, 중성지방
triiodothyronine (T3)	삼요오드티로닌
triple airway maneuver	삼중기도처치법
tropical diseases	열대병, 열대성질환
troponin	트로포닌
trousseau sign	토루소징후
trypsin	트립신
tube	관, 튜브, 시험관
tuberculosis	결핵
tuberculosis test	결핵검사
tumor	종양
tumor lysis syndrome	종양용해증후군
tumor necrosis factor	종양괴사인자
tumor necrosis factor (TNF)-alpha inhibitor	알파종양괴사인자억제제
tunica adventitia	혈관바깥막
tunica intima	혈관내막, 혈관속막
tunica media	혈관중간막
turbulent flow	와류
type I alveolar epithelium	제1형 폐포상피
type II alveolar epithelium	제2형 폐포상피
typhoid fever	장티푸스
tyrosine kinase	타이로신 키나아제, 타이로신활성효소

U

ulnar artery	척골동맥
ultrafiltration	초미세여과, 한외거르기
ultrasonography	초음파촬영(술)
ultrasound	1.초음파 2.초음파촬영(술)
unconjugated bilirubin	비결합빌리루빈
underfeeding	영양공급부족
underlying disease	기저질환
undissolved gas	비용해가스
unfractionated heparin	미분할헤파린
ungrounded electrical power	비접지전력
unifocal	단초점-
uniform Determination of Death Act (UDDA)	동일사망판정법령
uniformed distribution zone	균등분포지역
unipolar	홑극-, 단극-
unit	단위, 기, 장치
United Network for Organ Sharing (UNOS)	미국장기기증네트워크
unknown cause	원인불명
unmeasured anion	비측정음이온
unmeasured cations	비측정양이온

unsaturated fatty acid	불포화지방산
unstable angina	불안정협심증
upper airway obstruction	상기도폐쇄
upper extremity	상지, 팔
upper gastrointestinal bleeding	상부위창자출혈, 상부위장출혈
upper inflection point	고변곡점
upper lobe	상엽
upper portion	상부
upper respiratory tract	상기도
urea	요소
uremia	요독증
uremic encephalopathy	요독뇌병(증)
uremic pericarditis	요독심장막염
ureteral obstruction	요관막힘, 요관폐색
ureteral trauma	요관손상
ureterovesicular junction obstruction	요관방광접합부폐색
urethral obstruction	요도폐색
urethral trauma	요도외상
urethritis	요도염
uric acid	요산
urinary bladder	방광
urinary cast	요원주
urinary tract	요로
urinary tract hemorrhage	요로출혈

urinary tract infection (UTI) 요로감염

urinary tract obstruction 요로막힘, 요로폐색

urine 소변, 오줌, 요

urine glucose 요당

urine osmolal gap 요삼투차이

urine osmolality 요삼투질농도

urine output 소변배출량

urine volume 요량

urogenital tract infection 비뇨생식기감염

urokinase 우로키나아제

urosepsis 요로패혈증

use-dependent block 사용의존적차단

uterine atony 자궁근육무력(증), 자궁이완(증)

utilization 이용

vaccine	백신
vagal maneuver	미주신경조작
vagal reflex	미주신경반사
vagus nerve	미주신경
vallecula	후두덮개계곡
valsalva maneuver	발살바조작
valve disease	판막질환
valvular dysfunction	판막기능장애
valvular heart disease	판막성심장병
valvular insufficiency	심장판막기능부족
valvular stenosis	판막협착
vancomycin-resistant Enterococcus	반코마이신내성장내구균
variability	변이성, 변동성
variable	변수
variceal hemorrhage	정맥류 출혈
varicella-zoster virus	수두대상포진바이러스
vascular	혈관-, 맥관-
vascular access	혈관통로
vascular cell adhesion molecule	혈관세포유착분자

vascular endothelial cell	혈관내피세포
vascular endothelial growth factor	혈관내피성장인자
vascular recanalization	혈관재소통
vasculitis	혈관염, 맥관염
vasoactive drugs	혈관작용약
vasoconstriction	혈관수축
vasoconstrictors	혈관수축-, 혈관수축신경, 혈관수축제
vasodilation	혈관확장
vasodilator	혈관확장유발, 혈관확장제, 혈광확장운동신경
vasogenic shock	혈관탓쇼크, 혈관쇼크
vasopressin	바소프레신
vasopressin-resistant polyuric renal insufficiency	바소프레신저항다뇨콩팥기능부족
vasopressor	혈압상승, 혈압상승제
vasospasm	혈관경련수축, 혈관연축
vasovagal events	혈관미주신경 반응
vegetative state	식물상태
velocity time integral (VTI)	속도시간적분
venipuncture	정맥천자
venoarterial extracorporeal mernbrane oxygenation (VA-ECMO)	정-동맥 체외형 막형산화법
venom	독

venous	정맥-
venous blood	정맥혈액, 정맥피
venous circulation	정맥순환
venous inflow	정맥유입
venous outflow	정맥유출
venous oximetry	정맥산소측정법
venous oxygen saturation (SvO_2)	정맥혈산소포화도
venous pressure	정맥압
venous return	복귀정맥혈
venous thromboembolism	정맥혈전색전증
venous thrombosis	정맥혈전
venous ultrasonography	정맥초음파
venovenous extracorporeal membrane oxygenation (VV-ECMO)	정-정맥체외형막형산화법
ventilation	환기, 환기량
ventilation/perfusion (VA/Q)	폐포환기/관류
ventilation/perfusion matching	환기/관류짝짓기(일치, 적합)
ventilation/perfusion mismatch	환기/관류불균형
ventilation/perfusion ratio (V/Q ratio)	환기/관류비
ventilation/perfusion scanning	환기/관류스캐닝
ventilation/perfusion imbalance	환기/관류불균형
ventilation/perfusion relationship	환류/관류관계
ventilator	환기기
ventilator bundle	인공호흡기 묶음

ventilator drive strategy	환기동인전략
ventilator induced acute lung injury	환기기유발폐손상
ventilator weaning	기계환기이탈
ventilator-associated pneumonia (VAP)	환기기연관폐렴
ventilator-associated/induced lung injury	환기기연관폐손상
ventilatory capacity	환기능력
ventilatory drive	환기동인
ventilatory mode	환기방식
ventilatory pump failure	환기펌프부전
ventilatory rate	환기횟수
ventilatory support	환기보조
ventricular arrhythmia	심실부정맥
ventricular assist device (VAD)	심실보조기
ventricular dysfunction	심실기능장애
ventricular failure	심실부전
ventricular fibrillation	심실세동, 심실잔떨림
ventricular filling	심실충만
ventricular function	심실기능
ventricular hypertrophy	심실비대
ventricular paced rhythm	심실유도율동
ventricular premature beat	심실조기박동, 심실주기외박동
ventricular premature contraction (VPC)	조기심실수축, 심실기외수축
ventricular septal defect (VSD)	심실사이막결손, 심실중격결손
ventricular septum	심실사이막, 심실중격

ventricular tachycardia	심실빠른맥, 심실빈맥
ventricular-arterial coupling	심실-동맥결합
ventriculoarterial discordance	심실대혈관불일치연결
ventriculostomy	뇌실창냄(술), 뇌실조루(술)
ventriculostomy catheter	뇌실창냄술카테터
venturi device	벤튜리장치
venturi tube	벤튜리관
verapamil	베라파밀
vertebral artery	척추동맥
vessel	맥관, 혈관, 관
vessel wall	혈관벽
vestibular-ocular reflex	전정안반사
vibrio cholerae	콜레라균
vibrio vulnificus	패혈증비브리오균, 비브리오불니피쿠스
videolaryngoscope-assisted intubation	비디오후두경 삽관
viral conjunctivitis	바이러스결막염
viral encephalitis	바이러스뇌염
viral hemorrhagic fevers	바이러스성출혈열
viral hepatitis	바이러스간염
viral infection	바이러스감염
viral meningitis	바이러스뇌수막염
viral pericarditis	바이러스심막염
viral pneumonia	바이러스폐렴

viral syndromes	바이러스증후군
viremia	바이러스혈증
virtual bronchoscopy	가상기관지경술
virulent bacterium	병독성세균
virus	바이러스
virusemia	바이러스혈증
visceral pleura	내장쪽가슴막, 내장측흉막
visual analog pain scale (VAS)	시각아날로그척도, 시각통증등급
vital lung capacity (VC)	폐활량
vital sign	활력징후
vocal cord	성대
vocal cord paralysis	성대마비
vocal cord tumor	성대종양
volume	양
volume change	용적변화
volume of distribution	분포용적
volume overload	용적과부하
volume receptor	용적수용기
volume-controlled ventilation (VCV)	용적조절환기(법)
voluntary euthanasia	적극적안락사
volutrauma	용적손상
vomiting	구토
von Willebrand factor	폰빌레브란트인자

wall motion	벽운동
warfarin	와파린
water deficit	수분부족
water restriction	물제한, 수분제한
weakness	쇠약, 허약, 위약
weaning	뗌, 젖뗌, 이탈
wedge	쐐기
Wegener's granulomatosis	베게너육아종증
weight loss	체중감소
Weil's disease	바일병
Wernicke's encephaopathy	베르니케뇌병(증)
West Nile virus	웨스트나일 바이러스
Westermark sign	웨스터마크 징후
western blot test	웨스턴블럿트시험
wheezing	쌕쌕거림
whole blood	전혈, 온혈액
wide-QRS-complex tachycardia	넓은 QRS복합 빈맥
Williams syndrome	윌리암스 증후군
Wilson's disease	윌슨병

withdrawal	치료중단
withdrawal syndrome	금단증후군
withholding	치료유보
work of breathing (WOB)	호흡일
working pressure	작동압력
wound	상처
wound infection	상처감염
wound sepsis	상처패혈증
WPW (Wolff-Parkinson-White) syndrome	월프-파킨슨-화이트증후군

Zika virus	지카바이러스
zinc	아연
zygomatic arch	광대활

KOREA-ENGLISH

한-영 편

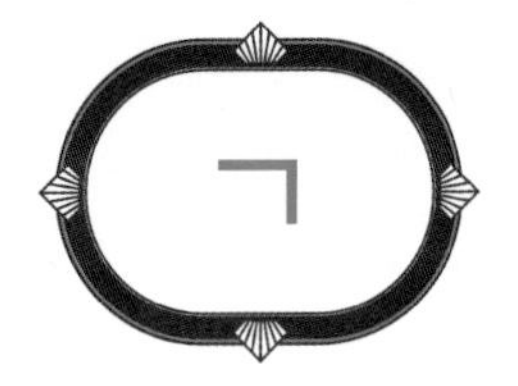

가동화	mobilization
가래	sputum
가로막	diaphragm
가로막신경손상	phrenic nerve injury
가로막탈장	diaphragmatic hernia
가료	care
가상기관지경술	virtual bronchoscopy
가성낭	pseudocyst
가성융합박동	pseudofusion beat
가성저나트륨혈증	pseudohyponatremia
가속기	acceleration phase
가속심방심실이음부리듬	accelerated atrioventricular rhythm
가속심실고유리듬	accelerated idioventricular rhythrn
가스	gas
가스걸림	gas trapping
가스공급	gas supply
가스괴저	gas gangrene
가스교환	gas exchange
가스용적	gas volume

가스유량	gas flow
가스유입압	gas inlet pressure
가스흐름	gas flow
가슴	chest
가슴경유심(장)초음파검사	transthoracic echocardiography (TTE)
가슴경유압	transthoracic pressure
가슴관	chest tube
가슴관삽입(술)	thoracostomy
가슴관삽입술	chest tube insertion
가슴대동맥	thoracic aorta
가슴막	pleura
가슴막경유압	transpleural pressure
가슴막삼출	pleural effusion
가슴막안	pleural cavity
가슴막안압력	intrapleural pressure
가슴문증후군	thoracic outlet syndrome
가슴벽	chest wall
가슴샘절제(술)	thymectomy
가슴샘종	thymoma
가슴손상	chest trauma
가슴안	thoracic cavity
가슴안-	intrathoracic
가슴안기도저항	intrathoracic airway resistance
가슴안동맥	intrathoracic artery

가슴안보개	thoracoscope
가슴안압	intrathoracic pressure
가슴안질환	intrathoracic disease
가슴압박	chest compression
가슴외상	chest trauma
가슴절개술	thoracotomy
가슴조임증	angina pectoris
가슴천자	thoracentesis
가슴통증	chest pain
가습	humidification
가시	spine
가역적인	reversible
가역적혈관수축증후군	reversible vasoconstriction syndrome
가역적후뇌병증증후군	posterior reversible encephalopathy syndrome
가역적후백질뇌증	reversible posterior leukoencephalopathy
가음성	false-negative
가장자리치아주위조직염	marginal periodontitis
가정용인공호흡기	home ventilator
가정용환기기	home ventilator
가족성 저마그네슘혈증	familial hypomagnesemia
가족성 저칼슘뇨성 고칼슘혈증	familial hypocalciuric hypercalcemia
가지돌기	dendrite
가지세포	dendritic cell
가피	eschar

가피절개(술)	escharotomy
각	angle
각막반사	corneal reflex
각성	alert, arousal
각성(하)삽관	awake intubation
각성상태	awareness
간	liver, stem
간격	interval
간경화(증)	hepatic cirrhosis
간경화증	liver cirrhosis
간기능	hepatic function
간기능상실	hepatic failure
간기능이상	hepatic dysfunction
간뇌동공	diencephalic pupils
간뇌병(증)	hepatic encephalopathy
간담도계	hepatobiliary system
간담도스캔	hepatobiliary scan
간대성근경련	myoclonic jerking
간문맥	portal vein
간병	liver disease
간병인	caregiver
간부전	hepatic failure
간비대	hepatomegaly
간섭	cross-talk

간성혼수	hepatic coma
간세포	hepatocytes
간세포암종	hepatocellular carcinoma
간수흉증	hepatic hydrothorax
간암	hepatoma
간염	hepatitis
간이식	liver transplantation
간절제(술)	hepatectomy
간접열량측정(법)	indirect calorimetry
간접후두경검사(법)	indirect laryngoscopy
간정맥쐐기압	hepatic veín wedge pressure
간질	epilepsy
간질-	interstitial
간질발작	epileptic seizure
간질부종	interstitial edema
간질성폐질환	interstitial lung disease
간질신장염	acute interstitial nephritis, interstitial nephritis
간질액	interstitial fluid
간질음영	interstitial marking
간질조직	interstitial tissue
간질환	liver disease
간콩팥구획	hepatorenal section
간콩팥단면	hepatorenal section
간콩팥증후군	hepatorenal syndrome

간콩팥티로신혈증	hepatorenal tyrosinemia
간폐증후군	hepatopulmonary syndrome
간표면	liver surface
간헐양압기	intermittent positive pressure device
간헐양압호흡	intermittent positive-pressure breathing
간헐양압환기(법)	intermittent positive pressure ventilation
간헐적공기압박	intermittent pneumatic compression
간헐적혈액투석	intermittent hemodialysis
간헐파형도플러	pulsed-wave doppler
간헐필수환기	intermittent mandatory ventilation
간호	care
간효소계	hepatic enzyme system
갈락토만난	galactomannan
갈락토오스뇨	galactosuria
갈락토오스혈증	galactosemia
갈래	head
갈륨 질산염	gallium nitrate
갈림	cleft
갈비가로막각	costophrenic angle
갈비가로막각오목(골)	costophrenic recess
갈비사이-	intercostal
갈비사이공간	intercostal space
갈증	thirst
감각-	sensory

감각기능	sensory function
감각성-	sensory
감금증후군	locked-in syndrome
감기증상	common cold symptom
감담도정밀검사	hepatobiliary scan
감마글로불린	gamma globulin
감마아미노부티르산	gamma-aminobutyric acid
감마카메라	gamma camera
감별진단	differential diagnosis
감시	monitoring
감시장치	monitor
감압병	decompression sickness
감염	infection
감염관리	infection control
감염뇌염	infectious encephalitis
감염병	infectious disease
감염식도염	infective esophagitis
감염심내막염	infective endocarditis
감염원조절	infection source control
감염폐렴	infectious pneumonia
감작	sensitization
감퇴유량형	decelerating flow pattern
갑상샘결합 글로불린	thyroid-binding globulin
갑상샘과산화 효소	thyroid peroxidase

갑상샘기능검사	thyroid function tests
갑상샘분비호르몬	thyroid-releasing hormone (TRH)
갑상샘자극호르몬	thyroid-stimulating hormone (TSH), Thyrotropin
갑상샘저하증	hypothyroidism
갑상샘중독발작	thyroid storm
갑상샘질환	thyroid disorder
갑상샘항진(증)	hyperthyroidism
갑상샘항진증	thyrotoxicosis
갑상샘호르몬	thyroid hormones
갑상선암	thyroid cancer
갑상선저하증	hypothyroidism
갑상선항진(증)	hyperthyroidism
강글리오시드	ganglioside
강이온차이	strong ion difference
강제이탈	dislodegment
강제폐활량	forced vital capacity (FVC)
강제호기량	forced expiratory volume (FEV)
강직	spasticity, stiffness
강직간대발작	tonic-clonic seizure
강직발작	tonic seizures
강직척추염	ankylosing spondylitis
개미산	formic acid
개방시스템	open system
개방형관리방식	open system

개방형병원	open system
개심술후심인성 쇼크	postcardiotomy cardiogenic shock
개정외상점수	revised trauma score
개흉술	thoracotomy
개흉압박법	open chest compression
개흉흉막유착법	open chest pleurodesis
객담항상균도말검사	sputum mycobacteria film examination
객혈	hemoptysis
거대대동맥류	giant aortic Aneurysm
거대세포바이러스	cytomegalovirus
거대세포심근염	giant cell myocarditis
거대핵세포	megakaryocyte
거대혈관종	giant hemangioma
거르기	filtration
거리	diameter
거미막밑-	subarachnoid
거미막밑볼트	subarachnoid bolt
거미막밑출혈	subarachnoid hemorrhage
거짓고칼륨혈증	pseudohyperkalemia
거짓동맥류	pseudoaneurysm
거짓부갑상샘저하증	pseudohypoparathyroidism
거짓부갑상선저하증	pseudohypoparathyroidism
거짓융합박동	pseudofusion beat
거짓음성	false-negative

거짓주머니	pseudocyst
거짓혈소판감소증	pseudothrombocytopenia
거짓호흡알칼리증	pseudorespiratory alkalosis
거품세포	foam cell
거품소리	rale
건조대기압	dry atmospheric pressure
검사	test
검사소견	laboratory finding
겉질	cortex
겉질밑-	subcortical
겉질스테로이드	corticosteroid
겉질제거자세	decorticate posturing
겉질집합관	cortical collecting duct
게실증	diverticulosis
겨드랑동맥	axillary artery
겨드랑동맥관삽입(술)	axillary artery cannulation
격막	diaphragm
격판	diaphragm
견갑골	scapula
견딤	tolerance
결과	sequela
결장 균무리	colonic flora
결장 폐색증	colonic ileus
결장거짓막힘	colonic pseudo-obstruction

결장거짓폐쇄	colonic pseudo-obstruction
결장암	colon cancer
결장염	colitis
결장허혈	colonic ischemia
결정질용액	crystalloid fluid, crystalloid solution
결합	binding
결합빌리루빈	conjugated bilirubin
결합조직	connective tissue
결핵	tuberculosis
결핵검사	tuberculosis test
결핵균	mycobacterium tuberculosis
결흐름	laminar flow
경계	borderline
경계선	borderline
경계성	borderline
경구투약	oral medication
경기관지 바늘흡인	transbronchial needle aspiration
경기관지 폐생검	transbronchial lung biopsy
경기관차단	transtracheal block
경두개도플러초음파	transcranial Doppler (TCD)
경련	convulsion
경련발작	convulsive seizure
경련성경련증첩증	convulsive status epilepticus
경련중첩증	status epilepticus

경로	pathway
경막밑혈종	subdural hematoma
경막외-	epidural
경막외농양	epidural abscess
경막외진통	epidural analgesia
경막외혈종	epidural hematoma
경막하혈종	subdural hematoma
경부	neck
경부감염	neck infection
경부강직	neck stiffness
경부안구반사	cervico-ocular reflex
경부외상	neck trauma
경비	expenditure
경사면	slope
경산부-	parous
경식도초음파	transesophageal echocardiography (TEE)
경정맥경유간내문맥전신순환션트	transjugular intrahepatic portosystemic shunt (TIPS)
경정맥산소측정(법)	jugular venous oximetry
경정맥산소포화도	jugular venous oxygen saturation ($SjvO_2$)
경정맥유심박동조율	transvenous cardiac pacing
경정맥카테터색전제거술	jugular transvenous catheter embolectomy
경증	mild
경직	spasticity, stiffness

경직성기관지경	rigid bronchoscope
경질막바깥-	epidural
경질막바깥진통	epidural analgesia
경질막바깥혈종	epidural hematoma
경질막밖고름집	epidural abscess
경추	cervical spine
경축	rigidity
경피경후두기관절개술	percutaneous translaryngeal tracheostomy
경피관상동맥중재술	percutaneous coronary intervention
경피담낭조루술	percutaneous cholecystostomy
경피승모판성형술	percutaneous balloon mitral valvotomy
경피적기관절개술	percutaneous tracheostomy
경피폐침생검술	percutaneous lung needle biopsy
경피확장기관절개술	percutaneous dilational tracheostomy (PDT)
경피확장윤상갑상막절개	percutaneous dilational cricothyrotomy
경피흡인술	percutaneous aspiration
경화(증)	cirrhosis
경횡경막압	transdiaphragmatic pressure
경흉부압	transthoracic pressure
곁-	collateral
곁가지	collateral
곁주머니증	diverticulosis
계량	gauging
계수	factor

고갈	depletion
고글로불린혈증	hyperglobulinemia
고나트륨혈증	hypernatremia
고농도	high concentration
고도	altitude
고름가래	purulent sputum
고름가슴증	pyothorax
고름뇨	pyuria
고름집	abscess
고리AMP포스포디에스테라제억제제	cAMP phosphodiesterase inhibitor
고리형 AMP	cyclic adenosine monophosphate (cAMP)
고리형이뇨제	loop diuretics
고마그네슘혈증	hypermagnesemia
고변곡점	upper inflection point
고빈도진동환기	high-frequency oscillatory ventilation
고빈도환기	high frequency ventilation (HFV)
고빈도흉부압박	high-frequency chest compressions
고빌리루빈혈증	hyperbilirubinemia
고산소혈증	hyperoxia
고삼투성고혈당비케톤산증후군	hyperosmolar hyperglycemic nonketotic syndrome
고삼투성비케톤성혼수	hyperosmolar nonketotic coma
고아밀라아제혈증	hyperamylasemia
고알도스테론증	hyperaldosteronism
고암모니아혈증	hyperammonemia

고압	hypertension
고압방	hyperbaric chamber
고압산소	hyperbaric oxygen
고압산소치료	hyperbaric oxygen treatment
고압요법	hyperbaric medicine
고압의학	hyperbaric medicine
고열	hyperthermia
고염소혈대사산증	hyperchloremic metabolic acidosis
고염소혈산증	hyperchloremic acidosis
고염소혈증	hyperchloremia
고요산혈증	hyperuricemia
고용량	high dosage
고원	plateau
고원압	plateau pressure
고원효과	plateau effect
고위험	high risk
고유량	high flow
고유량계	high-flow system
고유량비강캐뉼라	high flow nasal cannula
고유량콧구멍삽입관	high flow nasal cannula
고응집	hyperagglutination
고인산혈증	hyperphosphatemia
고인슐린혈증	hyperinsulinemia
고인슐린혈증저혈당	hyperinsulinemic hypoglycemia

고장성	hypertonicity
고장식염수	hypertonic saline
고장액	hypertonic solution
고장유형 및 영향분석	failure modes and effects analysis (FMEA)
고정	immobilization
고젖산혈증	hyperlactatemia
고조기	plateau phase
고중성지방혈증	hypertriglyceridemia
고지대폐부종	high altitude pulmonary edema
고지질혈증	hyperlipidemia
고체온	hyperthermia
고칼륨혈증	hyperkalemia
고칼륨혈증가족주기마비	hyperkalemic familial periodic paralysis
고칼륨혈증콩팥뇨세관산증	hyperkalemic renal tubular acidosis
고칼슘뇨	hypercalciuria
고칼슘혈증	hypercalcemia
고탄산혈증	hypercarbia, Hypercapnia
고탄산혈증호흡기능부전	hypercapnic respiratory insufficiency
고탄산혈증호흡기능상실	hypercapnic respiratory failure
고탄산혈증호흡부전	hypercapnic respiratory failure
고탄산혈증후알칼리증	posthypercapnic alkalosis
고해상컴퓨터단층촬영(술)	high resolution computed tomography (HRCT)
고혈당(증)	hyperglycemia
고혈당삼투성이뇨	hyperglycemic osmotic diuresis

고혈압	hypertension
고혈압뇌병(증)	hypertensive encephalopathy
고혈압약	antihypertensive drugs
고혈압위기	hypertensive crisis
고혈압응급	hypertensive emergency
고혈압절박	hypertensive urgency
고혈압증	hypertension
고형장기이식	solid organ transplantation
고확률	high probability
고환염	orchitis
곡선하면적	area under the curve (AUC)
곧창자관	rectal tube
곧창자출혈	rectal bleeding
골격근	skeletal muscle
골내주입	intraosseous infusion
골반	pelvis
골반골절	pelvic fracture
골반염	pelvic inflammatory disease
골반염증질환	pelvic inflammatory disease
골수	marrow, medulla, bone marrow
골수내혈종	intramedullary hemorrhage
골수억제	myelosuppression
골수염	myelitis
골수이식(술)	bone marrow transplantation

골연화증	osteomalacia
골절	fracture
곰팡이	fungi
곰팡이뇌막염	fungal meningitis
곰팡이감염	mycotic infection
곰팡이코곁굴염	fungal sinusitis
공	foramen
공간	cavity
공기	air
공기가슴증	pneumothorax
공기걸림	air trapping
공기계	pneumatic system
공기기관지조영상	air bronchogram
공기낭누출	cuff leak
공기누출	air leaks
공기배증	pneumoperitoneum
공기색전증	air embolism
공기심장막증	pneumopericardium
공기증	emphysema
공기흐름폐쇄	airflow obstruction
공동	cavity
공동편위	conjugate deviation
공동형성	cavity formation
공여자특이항체	donor-specific antibodies

공황발작	panic attacks
과다굳음	rigidity
과다보상	overcompensation
과다복용	over-dose
과다분비	hypersecretion
과다쐐기	over wedging
과다팽창	hyperinflation
과다호흡	hyperpnea
과다환기	hyperventilation
과립백혈구	granulocyte
과립백혈구증가증	granulocytosis
과민대장증후군	irritable bowel syndrome
과분비	hypersecretion
과산화수소분해효소	catalase
과산화수소	hydrogen peroxide (H_2O_2)
과역동순환	hyperdynamic circulation
과역동순환쇼크	hyperdynamic circulatory shock
과역동증후군	hyperdynamic syndrome
과잉활동섬망	hyperactive delirium
과정	processing
과팽창	overdistension
과항진성기도질환	hyperactive airway disease
과호흡	hyperventilation
관	vessel, tube

관넣기	intubation
관류	irrigation, perfusion
관류/환기폐스캔	perfusion/ventilation lung scan
관류압	perfusion pressure
관류자기공명영상	perfusion-weighted imaging
관류저하	hypoperfusion
관상	coronary
관상동맥	coronary artery
관상동맥병	coronary artery disease
관상동맥부전	coronary insufficiency
관상동맥우회술	coronary artery bypass graft
관상동맥재개통(술)	coronary revascularization
관상동맥조영(술)	coronary arteriography
관상동맥집중치료실	coronary care unit
관상동맥혈	coronary arterial blood
관상혈류	coronary blood flow
관석	scale
관제거	extubation
관찰	observation
관통상	penetrating injury
관혈류	perfusion
관혈적	transluminal
광견병	rabies
광대활	zygomatic arch

광물부신겉질호르몬	mineralocorticoid
광물코르티코이드 과다	mineralocorticoid excess
광범위 뇌병증	diffuse encephalopathy
광범위 축삭손상	diffuse axonal injury
광범위폐질환	diffuse pulmonary disease
광범위폐포질환	diffuse alveolar disease
광범위폐포출혈	diffuse alveolar hemorrhage
광범위항생제	broad-spectrum antibiotic
광학현미경	light microscope
광혈류측정	photoplethysmography
괴사	necrosis
괴사근막염	necrotizing fasciitis
괴사딱지	eschar
괴사딱지절개(술)	escharotomy
괴사세포	necrotic cell
괴사소장결장염	necrotizing enterocolitis
괴사소장대장염	necrotizing enterocolitis
괴사연조직감염	necrotizing soft-tissue infection
괴사연조직염	necrotizing cellulitis
괴사작은창자큰창자염	necrotizing enterocolitis
괴사조직절제술	necrosectomy
괴사폐렴	necrotizing pneumonia
괴사하행종격동염	necrotizing descending mediastinitis
괴사허파염	necrotizing pneumonia

교감신경기능항진	sympathetic nerve accentuation
교감신경증후군	sympathetic syndrome
교류저항	impedance
교모세포종	glioblastoma
교배변이	combination
교상 감염	bite wound infections
교섬유산성단백질	glial fibrillary acidic protein
교정	reduction, correction
교질삼투압	colloid osmotic pressure
교질용액	colloid fluid
교차결합혈색소	cross-linked hemoglobin
교차반응	cross reaction
교차적합	crossmatch
교차적합검사	crossmatch
구강	mouth
구강내오염제거	oral decontamination
구강압	intraoral pressure, Pmouth
구강위생	oral hygiene
구동압력	driving pressure
구루병	rickets
구리	copper
구멍	foramen
구불모양곡선	sigmoid shape curve
구석	angle

구심	afferent
구역	spectrum, segment, nausea
구역 반사	gag reflex
구역 반응	gag response
구역기관지	segmental bronchus
구역기관지가지	subsegmental bronchus
구인두(입인두) 경부 감염	oropharyngeal cervical infections
구조	structure
구조물	structure
구조요법	rescue therapy
구축	contracture
구토	vomiting
구획증후군	compartment syndrome
국립장기이식관리센터	Korea Network for Organ Sharing (KONOS)
국소손상	local injury
국소신경학적병변	focal neurologic deficits
국제질병분류	international classification of disease
군집호흡	cluster breathing
굴곡기관지경	bronchofiberscope, flexible bronchoscope
굴곡기관지경술	fiberoptic bronchoscopy
굴곡기관지경을 이용한 기관내삽관술	fiberoptic bronchoscopic intubation
굴느린맥	Sinus bradycardia
굴모양 증후	sinusoid sign
굴부정맥	sinus arrhythmia

굴빠른맥	sinus tachycardia
굴심방결절	sinoatrial node
굴염	sinusitis
굴정지	sinus arrest
굶주림	starvation
굿파스처증후군	Goodpasture's syndrome
균등분포지역	uniformed distribution zone
균막	biofilm
균종	mycetoma
균질-	homogeneous
그람양성균	gram-positive bacteria
그람양성패혈증	gram positive sepsis
그람음성균	gram-negative bacteria
그람음성내독소혈증	gram negative endotoxemia
그람음성패혈증	gram negative sepsis
그렁거림	stridor
그물내피-	reticuloendothelial
그물내피계통	reticuloendothelial system
그물내피세포	reticuloendothelial cell
근(육)간대경련	myoclonus
근(육)괴사	myonecrosis
근(육)긴장증	myotonia
근(육)무력위기	myasthenic crisis
근(육)무력증	myasthenia

근(육)무력증후군	myasthenic syndrome
근(육)병(증)	myopathy
근(육)섬유괴사	hypertonicity
근(육)섬유모세포	myofibroblast
근(육)통	myalgia
근골격계질환	musculoskeletal disorder
근막절개(술)	fasciotomy
근본치료	radical cure
근원통제	source control
근육	muscle
근육긴장항진(증)	hypertonicity
근육내주사	intramuscular (IM) injection
근육뼈대계통질환	musculoskeletal disorder
근육수축력-	inotropic
근육이완제	muscle relaxant
근육주사	intramuscular (IM) injection
근육차단제	muscle blockade
근육풀림제	muscle relaxant
근이완제	neuromuscular blocking agents
근적외선 분광기	near infrared spectroscopy (NIRS)
근전도검사(법)	electromyography (EMG)
근접오류	near miss
근치	radical cure
근클로누스경련	myoclonic jerking

글라이코알데하이드	glycoaldehyde
글래스고결과점수	glasgow outcome scale
글래스고혼수척도	glasgow coma scale
글루카곤	glucagon
글루카곤유사펩티드	glucagon-like peptide
글루코스	glucose
글루코스신합성	gluconeogenesis
글루코코르티코이드	glucocorticoid
글루콘산칼슘	calcium gluconate
글루타민	glutamine
글루타티온과산화효소	glutathione peroxidase
글루탐산염	glutamate
글루탐산탈수소효소	glutamate dehydrogenase
글리세롤	glycerol
글리코겐분해	glycogenolysis
글리코겐축적병	glycogen storage disease
글리콜산	glycolic acid
금단	abstinence
금단섬망	abstinence delirium
금단증후군	withdrawal syndrome
금속-증기열	metal-fume fever
금식	nil per os (NPO), alimentary abstinence
금욕	sexual abstinence
급격한	steep

급성	acute
급성간기능상실	acute liver failure
급성간부전	acute liver failure
급성간질폐렴	acute interstitial pneumonia
급성결장거짓막힘	acute colonic pseudo-obstruction
급성결장거짓폐쇄	acute colonic pseudo-obstruction
급성관상동맥증후군	acute coronary syndrome
급성기	acute phase
급성기단백질	acute phase protein
급성뇌졸증	acute stroke
급성담낭염	acute cholecystitis
급성대장가성폐색	Ogilvie's syndrorne
급성방사선증후군	acute radiation syndrome
급성복증	acute abdomen
급성사이질콩팥염	acute interstitial nephritis
급성세균뇌수막염	acute bacterial meningitis
급성세포성거부반응	acute cellular rejection
급성신부전	acute renal failure
급성신손상평가	RIFLE (Risk, Injury, Failure, Loss of kidney function, and End-stage kidney disease)
급성신장손상	acute kidney injury
급성심근경색증	acute myocardial infarction
급성심낭염	acute pericarditis
급성심부전	acute heart failure

급성심장기능상실	acute heart failure
급성심장막염	acute pericarditis
급성쓸개염	acute cholecystitis
급성요세관괴사	acute tubular necrosis
급성용혈성수혈반응	acute hemolytic transfusion reaction (AHTR)
급성이자염	acute pancreatitis
급성장간막경색증	acute mesenteric ischemia
급성저나트륨혈증	acute hyponatremia
급성전격심근염	acute fulminant myocarditis
급성전골수세포백혈병	acute promyelocytic leukemia
급성전립선염	acute prostatitis
급성전방종격염	acute anterior mediastinitis
급성천식	acute asthma
급성췌장염	acute pancreatitis
급성콩팥기능상실	acute renal failure
급성파종뇌척수병	acute disseminated encephalomyelopathy
급성파종뇌척수염	acute disseminated encephalomyelitis
급성파종혈관내응고증	acute disseminated intravascular coagulation
급성폐손상	acute lung injury
급성풋골수세포백혈병	acute promyelocytic leukemia
급성허혈뇌졸중	acute ischemic stroke
급성호흡곤란증후군	acute respiratory distress syndrome (ARDS)
급성호흡기능상실	acute respiratory failure
급성호흡부전	acute respiratory failure

급성후두개염	acute epiglottitis
급성후두염	acute laryngitis
급속기관내삽관	rapid sequence intubation
급속반응서미스터	rapid responsive thermistor
급속분포기	rapid distribution phase
급속진행사구체신염	rapidly progressive glomerulonephritis
급속진행토리콩팥염	rapidly progressive glomerulonephritis
급식재개증후군	refeeding syndrome
급통증	crisis
기	unit, phase, stage
기간	interval
기계론	mechanism
기계수용체	mechanoreceptor
기계순환보조	mechanical circulatory support
기계적분절	mechanical fragmentation
기계적조각내기	mechanical fragmentation
기계적조절환기	assisted/controlled mechanical ventilation (ACMV)
기계호흡	mechanical respiration
기계환기	mechanical ventilation
기계환기기	mechanical ventilator
기계환기이탈	ventilator weaning
기관	organ, trachea
기관경유	endotracheal
기관경유차단	transtracheal block

기관고리	tracheal ring
기관기관지	tracheobronchial tree
기관기관지손상	tracheobronchial injury
기관내	endotracheal
기관내관	endotracheal tube
기관내기낭	endotracheal tube cuff
기관내삽관	endotracheal intubation
기관내카르시노이드	endotracheal carcinoid
기관삽관실패	failed intubation
기관연골고리	tracheal ring
기관연화(증)	tracheomalacia
기관연화증	tracheal malacia
기관절개(술)	tracheostomy
기관절개튜브	tracheostomy tube
기관조루술	tracheostomy
기관지	bronchus
기관지결석	broncholith
기관지결핵	bronchial tuberculosis
기관지경 바늘흡인	bronchoscopic needle aspiration
기관지경술	bronchoscopy
기관지경폐생검술	bronchoscopic lung biopsy
기관지괴사	bronchial necrosis
기관지굽보개	bronchofiberscope, flexible bronchoscope
기관지굽보개술	fiberoptic bronchoscopy

기관지내초음파	endobronchial ultrasound
기관지내관	endobronchial tube
기관지내삽관	endobronchial intubation
기관지돌	broncholith
기관지동맥	bronchial artery
기관지동맥조영(술)	bronchial arteriography
기관지동맥파열	bronchial artery rupture
기관지보개술	bronchoscopy
기관지부종	bronchial edema
기관지분비물	bronchial secretion
기관지수축	bronchoconstriction
기관지수축제	bronchoconstrictor
기관지아스페길루스증	bronchial aspergillosis
기관지연축	bronchospasm
기관지연화(증)	bronchomalacia
기관지정맥	bronchial vein
기관지주위부종	peribronchial edema
기관지주위혈관	peribronchial vessel
기관지천식	bronchial asthma
기관지카르시노이드종양	bronchial carcinoid tumor
기관지평활근	bronchial smooth muscle
기관지폐구역	bronchopulmonary segment
기관지폐쇄	bronchial obstruction
기관지폐포세척	Bronchoalveolar lavage (BAL)

기관지폐형성이상	bronchopulmonary dysplasia (BPD)
기관지허파구역	bronchopulmonary segment
기관지확장	brochodilatation
기관지확장(증)	bronchiectasis
기관지확장제	bronchodilator
기관창냄술	tracheostomy
기관협착(증)	tracheal stenosis
기관흡입	tracheal suction
기나나무 알칼리증	cinchona alkaloids
기나피 알칼리증	cinchona alkaloids
기능부전	insufficiency
기능상실	failure
기능성 부신 부전	functional adrenal insufficiency
기능이상	dysfunction
기능잔기용량	functional residual capacity (FRC)
기능장애	dysfunction
기도	airway
기도 조건화	airway conditioning
기도과민	airway hypersensitivity
기도관리	airway management
기도내압	airway pressure
기도내이물	airway foreign body
기도막힘	airway obstruction
기도부종	airway edema

기도상피	airway epithelium
기도압해제환기	airway pressure release ventilation
기도열림	airway patency
기도염증	airway inflammation
기도저항	airway resistance
기도직경	airway diameter
기도질환	airway disease
기도협착(증)	respiratory stenosis
기류	air flow
기류유발	flow triggering
기류제한	flow restriction
기립자세	standing position
기면	somnolence
기복	fluctuation
기복증	pneumoperitoneum
기본소생술	basic life support
기생충	parasite
기아	starvation
기압	atmosphere
기억(력)	retention
기울기	slope
기저	base
기저막	basement membrane
기저선	baseline

기저점막세포	basal mucosal cell
기저질환	underlying disease
기전	mechanism
기절	fainting
기제	base, mechanism
기종	emphysema
기준선	baseline
기질기	organizing stage
기질화폐렴	organizing pneumonia
기초대사율	basal metabolic rate
기초상태	basal state
기초에너지소비량	basal energy expenditure
기침	cough
기침반사	cough reflex
기침안화	antitussive
기침약	antitussive
기텔만 증후군	Gitelman syndrome
기회감염	opportunistic infections
기흉	pneumothorax
긴QT증후군	long QT syndrome
긴급	emergency
긴장	tension
긴장간대발작	tonic-clonic seizure
긴장기흉	tension pneumothorax

긴장발작	tonic seizures
긴장증	catatonia
길랭-바레증후군	Guillain-Barré syndrome
길항작용	counteraction
길항제	antagonist
깊은고랑사인	deep sulcus sign
깊은정맥	deep vein
깊은정맥혈전증	deep venous thrombosis
까짐	erosion
깔때기연축(증)	infundibular spasm
깔때기콩팥염	pyelonephritis
깨어남	awakening
꼭대기	apex
꼭대기구역기관지	superior segmental bronchus
꼭지	apex
꿰맴	suture
끝	apex, extremity

나이	age
나트륨	sodium (Na)
나트륨 분획배설	fractional excretion of sodium (FENA)
나트륨배설증가	natriuresis
나트륨통로	sodium channel
난치성경련중첩증	refractory status epilepticus
날-	efferent
날문방	pyloric antrum
날문협착	pyloric stenosis
날숨	expiration
날숨끝	end-expiratory
날숨시간	expiratory phase time
날숨유량	expiratory flow rate
날숨유발	expiratory trigger
날숨폐쇄	expiratory obstruction
남성-	male
남아메리카출혈열	South American hemorrhagic fever
남은공기량	residual volume (RV)
납작-	flat

낭성섬유증	cystic fibrosis
내강	lumen
내경정맥	intemal jugular vein, internal carotid vein
내과계중환자실	medical intensive care unit (ICU)
내관	stent
내독소	endotoxin
내림(하행)괴사종격동염	descending necrotizing mediastinitis
내림(하행)대동맥대치술	descending thoracic aorta replacement
내분비	endocrine
내분비계	endocrine system
내분비계통	endocrine system
내성	tolerance, resistance
내시경	endoscope
내시경검사	endoscopy
내시경술	endoscopy
내시경역행담췌관조영(술)	endoscopic retrograde cholangiopancreatography (ERCP)
내시경역행쓸개이자조영(술)	endoscopic retrograde cholangiopancreatography (ERCP)
내인경로	intrinsic pathway
내인성콩팥손상	intrinsic kidney injury
내인성호기말양압	intrinsic positive end expiratory pressure (PEEP)
내인조직항산화반응계	intrinsic tissue antioxidation reaction system
내장순환	splanchnic circulation

내장저관류	splanchnic hypoperfusion
내장쪽가슴막	visceral pleura
내장측흉막	visceral pleura
내장허혈	splanchnic ischemia
내장혈관염	splanchnic vasculitis
내장효과	splanchnic effect
내측확장기	inner dilator
내피	endothelium
내피부착분자	endothelial adhesion molecules
내피세포	endothelial cell
내피세포 수용체 길항제	endothelin receptor antagonists
내피세포 질산화물 합성효소	endothelial nitric oxide synthase
내피질	inner cortex
내호흡	internal respiration
냉동요법	cryotherapy
넓은 QRS복합 빈맥	wide-QRS-complex tachycardia
노력날숨폐활량	forced expiratory volume (FEV)
노르에피네프린	norepinephrine (NE)
노인의학-	geriatric
노쪽피부정맥	cephalic vein
노출	exposure
노출시간	exposure time
녹농균	pseudomonas aeruginosa
녹말	starch

농뇨	pyuria
농도	concentration, density
농양	abscess
농축	concentration, inspissation
농축 혈소판(무작위 공여자 혈소판)	platelet concentrates (random donor platelets)
농축뇨	oligohydruria
농축적혈구 수혈	packed red blood cell transfusion
농흉	pyothorax
뇌	brain
뇌-	cerebral
뇌경막외농양	cranial paradural abscess
뇌경색	cerebral ischemia
뇌경색증	cerebral infarction
뇌고름집	brain abscess, pyocephalus
뇌관류압	cerebral perfusion pressure (CPP)
뇌기능	brain function
뇌기저동맥폐쇄	basilar artery occlusion
뇌나트륨이뇨펩티드	brain natriuretic peptide (BNP)
뇌내출혈	Intracerebral hemorrhage
뇌농양	brain abscess, pyocephalus
뇌바닥동맥폐쇄	basilar artery occlusion
뇌병(증)	encephalopathy
뇌부종	brain edema, cerebral edema
뇌사	brain death

뇌산소공급	cerebral oxygenation
뇌산소대사량	cerebral metabolic rate of oxygen ($CMRO_2$)
뇌산소화	cerebral oxygenation
뇌색전	cerebral emboli
뇌성-	cerebral
뇌성염분소실증후군	cerebral salt-wasting syndrome
뇌속출혈	intracerebral hemorrhage
뇌손상	brain damage
뇌실내출혈	intraventricular hemorrhage
뇌실외배액(술)	extraventricular drainage (EVD)
뇌실조루(술)	ventriculostomy
뇌실창냄(술)	ventriculostomy
뇌실창냄술카테터	ventriculostomy catheter
뇌압	cerebral pressure
뇌염	encephalitis
뇌영상	neuroimaging
뇌외상	brain trauma
뇌전증	epilepsy
뇌조직	brain tissue
뇌조직산소분압	brain tissue oxygen partial pressure, $PbtO_2$
뇌조직산소압	brain tissue oxygen tension
뇌졸중	stroke
뇌줄기반사	brainstem reflex
뇌줄기청각유발전위	brainstem auditory evoked potentials

뇌척수막	meninges
뇌척수액검사	cerebrospinal fluid analysis
뇌탈출증	brain herniation
뇌파검사(법)	electroencephalography (EEG)
뇌하수체	pituitary, pituitary gland
뇌혈관-	cerebrovascular
뇌혈관 저항	cerebrovascular resistance
뇌혈관병	cerebrovascular disease
뇌혈관질환	cerebrovascular disease
뇌혈류	cerebral blood flow
누공	fistula
누두부연축	infundibular spasm
누름통증	tenderness
누운자세저혈압증후군	supine hypotensive syndrome
누출	transudation, leakage
누출액	transudate
누화	cross-talk
눈금	scale
눈돌림신경	oculomotor nerve
눈머리반사	oculocephalic reflex
눈속출혈	intraocular hemorrhage
눌림증	tamponade
느린맥	bradycardia
느린부정맥	bradyarrhythmia

느린폐단위	slow lung unit
늑간-	intercostal
늑간강	intercostal space
늑골골절	rib fractures
늑골횡격막각	costophrenic angle
늑골횡격막각오목(골)	costophrenic recess
능동과정	active process
능력	competence
니코틴아마이드 아데닌 다이뉴클레오타이드 인산	nicotinamide adenine dinucleotide phosphate (NADPH)
니트로글리세린	nitroglycerin
니트로셀룰로스	nitrocellulose
니트로푸루시드	nitroprusside
니파 바이러스	Nipah virus
니페디핀	nifedipine

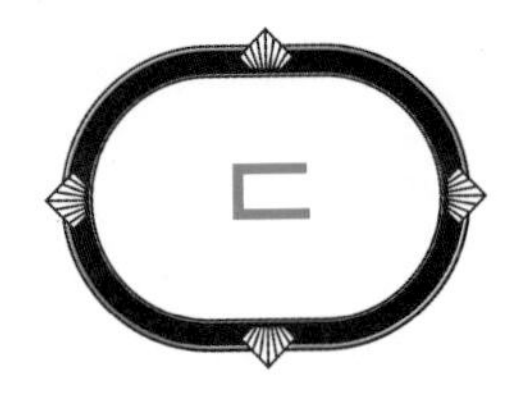

다검출전산화단층촬영술	multi-detector computed tomography (MDCT)
다낭-	polycystic
다낭신장	polycystic kidney
다낭신장병	polycystic kidney disease
다뇨	polyuria
다발골수종	multiple myeloma
다발내분비샘종양	multiple endocrine neoplasia (MEN)
다발신경병(증)	polyneuropathy
다운증후군	down syndrome
다이하이드로피리딘	dihydropyridine
다장기기능장애(기능이상)	multi-organ failure (MOF)
다장기기능장애(기능이상)점수	multiple organ dysfunction score (MODS)
다장기기능장애증후군	multiple organ dysfunction syndrome (MODS)
다제내성결핵	multidrug-resistant tuberculosis
다중손상사고	mass-casualty incident
다중진통	multimodal analgesia
다초점심방빠른맥	multifocal atrial tachycardia
다형-	polymorphic
다형심실빈맥	polymorphic ventricular tachycardia

다형태-	multiform
다형핵백혈구	polymorphonuclear leukocyte
다형핵호중구	polymorphonuclear neutrophils (PMN)
단	extremity, stage
단계	stage
단계적 축소	deescalation
단계적 축소치료	de-escalation therapy
단극-	unipolar
단기작용	short acting
단독	erysipelas
단물	soft water
단백	protein
단백물질	protein substance
단백분해효소	protease
단백분해효소억제제	protease inhibitor
단백분해효소활성수용체	protease-activated receptor (PAR)
단백질	protein
단백질결합	protein binding
단백질결합칼슘	protein-bound calcium
단백질분해	proteolysis
단백질분해효소	proteolytic enzyme
단백질체학	proteomics
단백질키나아제A	protein kinase A
단백펩티드전이효소	protein transpeptididase enzyme

단상파	monophasic wave
단순가슴방사선사진	chest radiograph
단순부분경련중첩증	simple partial nonconvulsive status epilepticus
단순산소마스크	simple oxygen mask
단순포진	herpes simplex
단순헤르페스	herpes simplex
단순흉부방사선사진	chest radiograph
단식	alimentary abstinence
단위	unit
단일폐이식	single lung transplantation
단초점-	unifocal
단축손상척도	abbreviated injury scale
단층촬영	tomogram
단층촬영술	tomography
단풍시럽뇨병	maple syrup urine disease
단핵구	monocyte
단핵구화학쏠림단백질	monocyte chemoattractant protein
단핵구화학주성단백	monocyte chemoattractant protein
단형심실빈맥	monomorphic ventricular tachycardia
달무리징후	halo sign
달무리환	halo rings
담낭	gallbladder
담낭고름집	gallbladder empyema
담낭염	cholecystitis

담낭절제(술)	cholecystectomy
담낭조루술	cholecystostomy
담석	gallstone
담즙	bile juice
담즙 정체	cholestasis
담즙정체황달	cholestatic jaundice
당	sugar
당뇨	glycosuria
당뇨 조절	glycemic control
당뇨병	diabetes mellitus
당뇨병케톤산증	diabetic ketoacidosis (DKA)
당뇨병혼수	diabetic coma
당단백질 lib/IIIa 대항제	glycoprotein IIb/IIla antagonists
당원축적병	glycogen storage disease
당질	sugar
당질층	glycocalyx
닿는곳	insertion
대광반사	light reflex
대기	room air, atmosphere
대기압	atmospheric pressure
대뇌	cerebrum
대뇌-	cerebral
대뇌 자동조절능	cerebral autoregulation
대뇌겉질	cerebral cortex

대뇌미세투석법	cerebral microdialysis
대뇌반구지수	hemispheric index
대뇌정맥동혈전증	cerebral sinus thrombosis
대뇌제거경축	decerebrate rigidity
대뇌제거자세	decerebrate posture
대뇌피질	cerebral cortex
대뇌허혈	cerebral ischemia
대동맥	aorta
대동맥교약증수술후증후군	postcoarctectomy syndrome
대동맥기부치환술	aortic root replacement
대동맥내풍선펌프	intra-aortic balloon pump (IABP)
대동맥내풍선펌프맞박동	intra-aortic balloon counterpulsation
대동맥류	aortic aneurysm
대동맥박리	aortic dissection
대동맥반활치환술	aortic hemiarch replacement
대동맥압	aortic pressure
대동맥염	aortitis
대동맥외막초음파	epiaortic ultrasound
대동맥장관루	aortoenteric fistula
대동맥차단겸자	aortic cross clamp
대동맥창자샛길	aortoenteric fistula
대동맥축착	coarctation of aorta
대동맥판막기능부전	aortic insufficiency
대동맥판막질환	aortic valve disease

대동맥판막치환술	aortic valve replacement
대동맥판막협착(증)	aortic valvular stenosis
대동맥판하협착(증)	subaortic stenosis
대동맥판협착(증)	aortic stenosis
대동맥활	aortic arch
대동정맥압박	aortocaval compression
대량	massive
대량객혈	massive hemoptysis
대량수혈	massive transfusion
대량주입	bolus injection
대량출혈	massive hemorrhage
대량폐색전증	massive pulmonary embolism
대량허파색전증	massive pulmonary embolism
대류	convection
대리결정	proxy decision, surrogate decision
대발작	generalized seizures
대사	metabolism
대사-	metabolic
대사과다증	hypermetabolism
대사구조인자	metabolic structure factor
대사산증	metabolic acidosis
대사알칼리증	metabolic alkalosis
대사합병증	metabolic complication
대상포진	herpes zoster, shingles

대식세포	macrophage
대장균	escherichia coli
대장내시경검사	colonoscopy
대장염	colitis
대조군	control group
대증요법	symptomatic therapy
대치액	replacement fluid
대치요법	replacement therapy
대칭	symmetry
대칭성	symmetry
대퇴동맥	femoral artery
대퇴정맥	femoral vein
대항근	antagonist
대항제	antagonist
대형정맥	large vein
대흉근	pectoralis major muscle
더듬자	probe
덧대	stent, splint
덧전도로	accessory pathway
덩이	clot
덮개	integument
데스모프레신	desmopressin (DDAVP)
도부타민	dobutamine
도움체	complement

도움체연쇄반응	complement cascade
도파민	dopamine
도파민-수산화효소	dopamine-hydroxylase
도플러초음파	Doppler ultrasound
독	venom
독성	toxicity
독성-	toxic
독성가스	toxic gas
독성거대결장	toxic megacolon
독성쇼크	toxic shock
독성표피괴사용해	toxic epidermal necrolysis
독성효과	toxic effect
독소	toxin
독소충격증후군	toxic shock syndrome (TSS)
돌발파억제	burst-suppression
동	copper
동결침전물	cryoprecipitate
동공반사	pupillary reflex
동공측정계	pupillometer
동기성	synchronized
동기화심장율동전환	synchronized cardioversion
동력적-	dynamic
동맥	artery
동맥경화증	arteriosclerosis

동맥공기색전증	arterial gas embolism
동맥관	A-line
동맥관개존증	patent ductus arteriosus
동맥관삽입(술)	arterial cannulation
동맥관열림증	patent ductus arteriosus
동맥내도관	intra-arterial catheter
동맥내카테터	intra-arterial catheter
동맥도관	arterial line
동맥뚫기	arteriopuncture
동맥류	aneurysm
동맥박윤곽분석	arterial pulse contour analysis
동맥산소	arterial oxygen
동맥색전술	arterial embolization
동맥압	arterial pressure
동맥자루	aneurysm
동맥조영(술)	angiography, arteriography
동맥천자	arteriopuncture
동맥카테터	arterial catheter
동맥혈	arterial blood
동맥혈가스	arterial blood gas
동맥혈가스검사	arterial blood gas analysis
동맥혈검사	arterial blood test
동맥혈산소량	arterial oxygen content

동맥혈산소분압	arterial oxygen partial pressure (PaO_2), arterial oxygen tension, arterial partial pressure of oxygen
동맥혈산소포화도	arterial blood oxygen saturation, arterial oxygen saturation (SaO_2)
동맥혈산소함유량	arterial oxygen content
동맥혈압	arterial pressure
동맥혈압파형	arterial pressure wave
동맥혈이산화탄소분압	arterial carbon dioxide partial pressure ($PaCO_2$)
동맥혈저산소혈증	arterial hypoxemia
동물실험	animal experiment
동성부정맥	sinus arrhythmia
동성빈맥	sinus tachycardia
동성서맥	sinus bradycardia
동심방결절	sinoatrial node
동안신경	oculomotor nerve
동염	sinusitis
동요가슴	flail chest
동원	mobilization
동일사망판정법령	Uniform Determination of Death Act (UDDA)
동적-	dynamic
동적가스걸림	dynamic gas trapping
동적과다팽창	dynamic hyperinflation
동적기류제한	dynamic airflow limitation

동적동맥탄성도	dynamic arterial elastance
동적폐유순도	dynamic lung compliance
동적폐탄성	dynamic lung compliance
동정맥기형	arteriovenous malformation (A-V malformation)
동정맥루	arteriovenous fistula
동정맥션트	arteriovenous shunt
동정맥이식편	arteriovenous graft
동정맥혈산소교차	arteriovenous blood oxygen cross
동정지	sinus arrest
동조간헐필수환기	synchronized intermittent mandatory ventilation (SIMV)
동질-	homogeneous
동향편위	conjugate deviation
동화	anabolism
동화단계	anabolic phase
되먹임	feedback
되튐통증	rebound tenderness
두	head
두개내동맥류	intracranial aneurysm
두개내압	intracranial pressure (ICP)
두개내압상승	intracranial hypertension
두개내출혈	intracranial hemorrhage (ICH)
두개저골절	basilar skull fracture
두극-	bipolar

두렁정맥	saphenous vein
두부 및 목 감염	head and neck infections
두부외상	head trauma
두통	headache
둔기손상	blunt injury
둘레계통	limbic system
뒤겨드랑선	posterior axillary line
뒤구역기관지	posterior segmental bronchus
뒤뇌하수체	posterior pituitary gland
뒤정강동맥	posterior tibial artery
뒷받침환기	backup ventilation
듀라포이 병변	Dieulafoy's lesion
드레슬러증후군	Dressler's syndrome
들	afferent
들숨	inspiration
들숨가스	inspiratory gas
들숨끝	end-inspiratory
들숨날숨비율	inspiratory expiratory ratio
들숨시간	inspiratory phase time
들숨압	inspiratory pressure
들숨요구량	inspiratory demand
들숨용적	inspiratory capacity
등	dorsal
등급	scale

등삼투압 생리식염수	isotonic saline
등삼투압용액	isosmotic solution
등장	isotonic
등장성	iso-oncotic
등장수	isotonic water
등장액	isotonic, isotonic solution
등적수축기	isovolumetric contraction phase
등쪽	dorsal
등쪽폐	dorsal lung
등척수축기	isometric contraction phase
디곡신	digoxin
디기탈리스	digitalis
디소피라마이드	disopyramide
디조지증후군	DiGeorge syndrome
디지털감산혈관조영(술)	digital subtraction angiography
디지털배경감소혈관조영(술)	digital subtraction angiography
디포스글리세레이트	diphosphoglycerate
디프테리아	diphtheria
딥핑안구운동	dipping eye movement
땀남	sweating
떡	clot
떨림	tremor, shivering
떨림섬망	delirium tremens
뗌	weaning

띠이랑겉질	cingulate cortex
띠이랑피질	cingulate cortex
띠헤르메스	herpes zoster
띠헤르페스	shingles

라베탈롤	labetalol
라스무센동맥류	rasmussen aneurysm
라텍스 알레르기	latex allergy
라프라스법칙	Laplace's law
락퉅로오스	lactulose
레닌	renin
레닌-앤지오텐신-알도스테론계통	renin-angiotensin-aldosterone system
레이노병	Raynaud's disease
레이저치료	laser therapy
레트로바이러스	retrovirus
렉틴	lectin
렙토스피라병	leptospirosis
렙토스피라증	leptospirosis
로그선형 최종기	log-linear terminal phase
로빙안구운동	roving eye movement
록키산홍반열	rocky mountain spotted fever
루	fistula
루멘	lumen
루푸스신장염	lupus nephritis

루푸스콩팥염	lupus nephritis
루푸스항응고인자	lupus anticoagulant
류	flow
류마티스관절염	rheumatoid arthritis
류마티스성심장병	rheumatic heart disease
류코트리엔	leukotriene
류코트리엔경로억제제	leukotriene pathway inhibitors
리도카인	lidocaine
리듬장애	dysrhythmias
리치몬드 불안-진정척도	Richmond Agitation-Sedation Scale (RASS)
리케차증	richettsiosis
리튬	lithium
리파제	lipase
림프	lymph
림프계	lymphatic system
림프계통	lymphatic system
림프구	lymphocyte
림프구성심근염	lymphocytic myocarditis
림프절	lymph node
림프절결핵	lymph node tuberculosis
림프종	lymphoma
링거젖산용액	Ringer's lactate solution
링거초산용액	Ringer's acetate solution

마그네슘	magnesium
마디	segment
마르부르크바이러스	Marburg virus
마른공기	dry air
마른체중	lean body mass
마마	smallpox
마비	anesthesia
마스크	mask
마약중독 지수	narcotrend index (NI)
마이크로쇼크	microshock
마이크로프로세서 전자공학	microprocessor electronics
마찰음	crepitus
마취	anesthesia
마취과학	anesthesiology
마취전산소투여	preoxygenation
막펌프	membrane pump
막힘콩팥병(증)	obstructive nephropathy
만기	expiration
만노스	mannose

만니톨	mannitol
만성-	chronic
만성 폐병	chronic pulmonary disease
만성 폐질환	chronic pulmonary disease
만성간부전의 급성악화	acute-on-chronic liver failure
만성간질환	chronic liver disease
만성기관지염	chronic bronchitis
만성비염	chronic rhinitis
만성신부전	chronic renal failure
만성신장병	chronic kidney disease
만성염증	chronic inflammation
만성저산소증	chronic hypoxia
만성천식	chronic asthma
만성코염	chronic rhinitis
만성콩팥기능상실	chronic renal failure
만성파종혈관내응고증	chronic disseminated intravascular coagulation
만성폐동종이식기능장애(부전)	chronic lung allograft dysfunction
만성폐쇄폐질환	chronic obstructive pulmonary disease (COPD)
만성호흡부전	chronic respiratory failure
만성호흡부전의 급성악화	acute-on-chronic respiratory failure
말기간질환	end-stage liver disease
말기간질환 예후점수	MELD (Model for End-Stage Liver Disease) score
말기신부전	end-stage renal disease (ESRD)
말기신장병	end-stage renal disease (ESRD)

말기심부전	end-stage heart failure
말기장기질환	end-stage organ disease
말기콩팥병	end-stage renal disease (ESRD)
말기폐질환	end-stage lung disease
말단비대증	acromegaly
말라리아	malaria
말람파티 분류	Mallampati classfication
말로리-바이스 파열	Mallory-Weiss tears
말이집 기초단백질	myelin basic protein
말이집형성	myelination
말초-	peripheral
말초기도폐쇄	peripheral airway obstruction
말초동맥혈	peripheral arterial blood
말초동맥혈관확장	peripheral arterial vasodilation
말초부종	peripheral edema
말초신경병증	peripheral neuropathy
말초신경차단술	peripheral nerve block
말초정맥	peripheral vein
말초조직	peripheral tissue
말초청색증	peripheral cyanosis
말초혈관병	peripheral vascular disease
말초혈관저항	peripheral vascular resistance
말초혈액	peripheral blood
말초화학수용체	peripheral chemoreceptor

망막	retina
망막박리	retinal detachment
망막부종	retinal edema
망막혈관	retinal vessel
망막혈관증식	retinal vessel proliferation
망상내피-	reticuloendothelial
망상내피계	reticuloendothelial system
망상내피세포	reticuloendothelial cell
망상체활성화계	reticular activating system
망상활성계	reticular activating system
맞춤	reduction
매개-	mediated
매개체	mediator
매독	syphilis
매듭짓기	knotting
맥각 알칼로이드	ergot alkaloids
맥관	vessel
맥관-	vascular
맥관염	vasculitis
맥박	pulse
맥박산소측정(법)	pulse oximetry
맥박산소측정기	pulse oximeter
맥박수	pulse rate
맥박압	pulse pressure

맥압	pulse pressure
맹목삽관	blind intubation
머리	head
머리뼈바닥고절	basilar skull fracture
머리속압력	intracranial pressure (ICP)
머리속출혈	intracranial hemorrhage (ICH)
머리손상	head trauma
먼쪽곱슬세관	distal convoluted tubule
멍	bruise
메커니즘	mechanism
메코프로프중독	mecoprop poisoning
메탄올 중독	methanol poisoning
메토프롤롤	metoprolol
메톨라존	metolazone
메트헤모글로빈	methemoglobin
메트헤모글로빈환원효소결핍	methemoglobin reductase deficiency
메티실린내성 황색포도상구균	methicillin-resistant staphylococcus aureus (MRSA)
메틸도파	methyldopa
메틸잔틴제	methylxanthine
메틸프레드니솔론	methylprednisolone
메틸헤모글로빈	methyl hemoglobin
멘델슨증후군	Mendelson's syndrome
면역-	immune
면역결핍	immunodeficiency

면역글로불린	immunoglobulin
면역매개뇌염	immune-mediated encephalitis
면역매개혈소판감소(증)	immune-mediated thrombocytopenia
면역반응	immune response
면역복합체	immune complex
면역성저혈소판자(색)반	immune thrombocytopenic purpura
면역성혈소판감소(증)	immune thrombocytopenia (ITP)
면역손상-	immunocompromised
면역약화-	immunocompromised
면역억제	immunosuppression
면역요법	immunotherapy
면역재구성염증증후군	immune reconstitution inflammatory syndrome
면역제어	immunomodulation
면역조절	immunomodulation
면역체계	immune system
면역폐질환	immunologic pulmonary disease
면역혈액학	immunohematology
면역화	sensitization
모노아민산화효소	monoamine oxidase
모니터	monitor
모니터링	monitoring
모르핀	morphine
모리슨 낭	morison pouch
모세(혈)관	capillary

모세관투과성	capillary permeability
모세혈관그물	capillary network
모세혈관누출	capillary leak
모세혈관순환	capillary circulation
모세혈관이전세동맥	precapillary arteriol
모세혈관재충만검사	capillary refill test
모세혈관재충만시간	capillary refill time
모순맥박	pulsus paradoxus
모순반사	paradoxical reflex
모순색전증	paradoxical embolism
모순심실간격 이동	paradoxical interventricular septal shift
모순흉복운동	paradoxical thoracoabdominal movement
목	neck
목구멍	throat
목동맥	carotid artery
목동맥죽상경화증	carotid atherosclerosis
목동맥질환	carotid artery disease
목동맥토리	carotid body
목동맥팽대과민성	carotid sinus hypersensitivity
목동맥팽대마사지	carotid sinus massage
목빗근	sternocleidomastoid muscle
목뼈	cervical spine
목뿔뼈	hyoid bone
목아래패임	suprasternal notch

목정맥경유간속문맥전신순환션트	transjugular intrahepatic portosystemic shunt (TIPS)
몬로공	foramen of Monro
몸감각유발전위검사	somatosensory evoked potentials (SEP)
몸밖순환	extracorporeal circulation
몸통	body
무간기	anhepatic phase
무감각	anesthesia
무결석쓸개담낭염	acalculous cholecystitis
무균기술	aseptic technique
무균뇌염	aseptic encephalitis
무균수막염	aseptic meningitis
무기폐	atelectasis
무딘손상	blunt injury
무맥박전기활동	pulseless electrical activity (PEA)
무맥성심실빈맥	pulseless ventricular tachycardia
무산소세균	anaerobic organism
무산소혼수	anoxic coma
무스카린증상	muscarinic symptom
무용	futility
무용공간	dead space
무용공간환기	dead space ventilation
무운동함구증	akinetic mutism
무익	futility

무작위대조시험	randomized controlled trial
무증상기생충혈증	asymptomatic parasitemia
무증상뇌파상경련중첩	subclinical electrical status epilepticus
무취	odorless
무호흡	apnea
무호흡테스트	apnea testing
묶음	binding
문	port, inlet
문맥	portal vein
문맥계	portal system
문맥계통	portal system
문맥고혈압	portal hypertension
문맥대정맥연결술	portocaval anastomosis
문맥압	portal blood pressure
문맥전신순환(성)뇌병(증)	portosystemic encephalopathy
문맥전신순환단락	portosystemic shunting
문맥폐동맥고혈압	portopulmonary hypertension
문화적 사정	cultural assessment
문화적 적격	cultural competence
문화적 적임	cultural competence
물뇌증	hydrocephalus
물때	scale
물렁입천장	soft palate
물렁조직	soft tissue

물린상처 감염	bite wound infections
물제한	water restriction
물집	bulla, bleb
물집발진	bullous rash
물집성부종	bullous edema
물콩팥증	hydronephrosis
묽힘	dilution
뭇주머니-	polycystic
뭇주머니콩팥	polycystic kidney
뭇주머니콩팥병	polycystic kidney disease
뭇형태-	polymorphic, multiform
미국장기기증네트워크	United Network for Organ Sharing (UNOS)
미녹시딜	minoxidil
미란	erosion
미만축삭손상	diffuse axonal injury
미만폐질환	diffuse pulmonary disease
미만폐포출혈	diffuse alveolar hemorrhage
미분할헤파린	unfractionated heparin
미세색전술	microembolization
미세순환	microcirculation
미세순환기전	microcirculation mechanism
미세투석	microdialysis
미세혈관	microvascular
미세혈관용혈빈혈	microvascular hemolytic anemia

미세혈관혈전증	microvascular thrombosis
미세혈뇨	microscopic hematuria
미세혈전	microthrombosis
미세흡인	microaspiration
미숙아	premature infant
미숙아망막증	retinopathy of prematurity (ROP)
미숙아보육기	premature incubator
미엘린 기초단백질	Myelin basic protein
미오글로불린뇨증	myoglobulinuria
미오글로빈	myoglobin
미주신경	vagus nerve
미주신경반사	vagal reflex
미주신경조작	vagal maneuver
미코박테륨아비움인트라셀룰라레	mycobacterium avium intracellulare (MAC)
미코플라스마뉴모니아이	mycoplasma pneumonia
미토콘드리아	mitochondria
미토콘드리아기능상실(부전)	mitochondria failure
민감화	sensitization
민무늬근육	smooth muscle
밀도	density
밀리논	milrinone
밀물기	flow phase

바깥겉질	outer cortex
바깥목정맥	external carotid vein
바깥속질	outer medullary tissue
바깥집	outer sheath
바깥호흡	external respiration
바늘	needle
바늘원뿔골인대절개(술)	needle cricothyrotomy
바늘원추형인대절개(술)	needle cricothyrotomy
바늘흉강천자	needle thoracentesis
바닥	base
바닥구역기관지	basal segmental bronchus
바닥막	basement membrane
바닥선	baseline
바르비투르산염	barbiturate
바베스열원충증	babesiosis
바빈스키징후	babinski sign
바소프레신	vasopressin
바소프레신저항다뇨콩팥기능부족	vasopressin-resistant polyuric renal insufficiency
바이러스	virus

바이러스간염	viral hepatitis
바이러스감염	viral infection
바이러스결막염	viral conjunctivitis
바이러스뇌수막염	viral meningitis
바이러스뇌염	viral encephalitis
바이러스성출혈열	viral hemorrhagic fevers
바이러스심막염	viral pericarditis
바이러스약	antiviral drugs
바이러스증후군	viral syndromes
바이러스폐렴	viral pneumonia
바이러스혈증	viremia, virusemia
바이오피드백	biofeedback
바일병	Weil's disease
바탕	base
바터증후군	Bartter's syndrome
박동	stroke
박동 윤곽 분석	pulse contour analysis
박동성지수	pulsatility index
박동조율기	pacemaker
박동조율기매개빈맥	pacemaker-mediated tachycardia
박동조율기선	pacing wire
박동조율기전위	pacemaker potential
박동조율기증후군	pacemaker syndrome
박리기	dissection phase

박출기	ejection phase
박출량지수	stroke volume index
박출률	ejection fraction
박출분율	ejection fraction
반감기	half-life
반구진발진	maculopapular rash
반대작용	counteraction
반동압통	rebound tenderness
반두개절제(술)	hemicraniectomy
반머리(뼈)절제술	hemicraniectomy
반복	replication
반사	reflex
반솟음발진	maculopapular rash
반응	reaction, response
반응도	responsiveness
반응성	reactivity
반응성 혈소판증	reactive thrombocytosis
반응성 상기도장애증후군	reactive upper airway dysfunction syndrome
반지방패막	cricothyroid membrane
반지방패연골절개술	cricothyroidotomy
반측흉곽	hemithorax
반코마이신내성장내구균	vancomycin-resistant Enterococcus
반투막	semipermeable membrane
받침	support

받침대	support
발가락	toe
발관	extubation
발달 정맥이상	developmental venous anomaly
발등동맥	dorsalis pedis artery
발등동맥관삽입(술)	dorsalis pedis artery cannulation
발병	onset
발병률	incidence
발살바조작	valsalva maneuver
발생률	incidence
발생빈도	incidence
발열	pyrexia
발작	convulsion, stroke, seizure, crisis
발작상심실성 빈맥	paroxysmal supraventricular tachycardia (PSVT)
발진	rash
발한	sweating
발현	onset
발현전 시기	preclinical period
방광	bladder, urinary bladder
방광염	cystitis
방광주혈흡충	schistosoma haematobium
방류수	effluent
방법론	methodology
방사선 사고	radiation accidents

방사선 심막염	radiation pericarditis
방사선동위원소확산기	radionuclide dispersal devices
방사선식별적혈구	radiolabeled red blood cell scan
방사선요법	radiotherapy
방사선진단(법)	radiodiagnosis
방사선치료	radiotherapy
방사선치료유발혈소판저하증	radiation therapy induced thrombocytopenia
방사선투과검사	radionudide imaging
방실간격	AV interval
방실결절재돌입빈맥	atrioventricular nodal reentry tachycardia
방실사이막결손(증)	atrioventriculoseptal defect
방실이음부빠른맥	junctional tachycardia
방실재입빈맥	atrioventricular reentry tachycardia
방실접합부	atrioventricular junction
방실접합부빈맥	junctional tachycardia
방실접합부이소성빈맥	junctional ectopic tachycardia
방실중격결손(증)	atrioventriculoseptal defect
방실차단	atrioventricular block
방실해리	AV dissociation
방어기전	defense mechanism
배	abdomen
배근육	abdominal muscle
배기	exhaustion
배농(술)	drainage

배대동맥	abdominal aorta
배막안	peritoneal cavity
배막염	peritonitis
배막자극징후	peritoneal irritation sign
배설	excretion
배설물	excretion
배안보개검사	laparoscopy
배안압력	intraabdominal pressure
배액(술)	drainage
배액관	drainage tube
배출	drainage
배출기	ejector
배출량	output
배틀징후	battle sign
배합	combination
백밸브마스크	bag-valve-mask unit
백밸브마스크환기법	bag-valve-mask ventilation
백신	vaccine
백일해	pertussis
백혈구	leukocyte
백혈구분반술	leukapheresis
백혈구성분채집(술)	leukapheresis
백혈구증가(증)	leukocytosis
백혈병	leukemia

뱀물림(교상)	snake bite
버거병	Buerger's disease
버드-키아리 증후군	Budd-Chiari syndrome
벌림	abduction
범위	interval, spectrum
베게너육아종증	Wegener's granulomatosis
베라파밀	verapamil
베르누이원리	Bernoulli's principle
베르니케뇌병(증)	Wernicke's encephaopathy
베타2작용제	beta2-agonist
베타아드레날린	beta-adrenergic
베타차단제	beta blocker
베흐체트병	Behcet's disease
벡의 세증후	Beck's triad
벤튜리관	venturi tube
벤튜리장치	venturi device
벽경유동맥압	transmural arterial pressure
벽경유압	transmural pressure
벽경유좌심실압	transmural left ventricular pressure
벽운동	wall motion
벽측흉막	parietal pleura
변동	fluctuation
변동성	variability
변비	constipation

변성병	degenerative disease
변수	variable
변연계	limbic system
변이성	variability
변형듀크기준	modified Duke's criteria
병	disease
병기	stage
병독성세균	virulent bacterium
병용	combination
병용요법	combined modality therapy
병원감염	nosocomial infection
병원내 감염성 부비동염	nosocomial sinusitis
병원내 감염성 설사	nosocomial diarrhea
병원내 자연 판막 감염성 심내막염	nosocomial native valve infective endocarditis
병원내요로감염	nosocomial urinary tract infection (UTI)
병원내폐렴	nosocomial pneumonia
병원소	reservoir
병인	etiology
병인론	etiology
병인학	etiology
병적단락	pathological shunt
병적소견	pathologic finding
병태생리	pathophysiologic
병태생리학	pathophysiology

보건의료체계	health care system
보상	compensation
보상반응	compensatory response
보상성항염증반응증후군	compensatory anti-inflammatory response syndrome (CARS)
보상쇼크	compensated shock
보액	replacement fluid
보유	reservoir
보유장치	reservoir system
보정	retention, correction
보조	support
보조요법	adjuvant therapy
보조조절환기	assisted controlled (mandatory) ventilation
보조투여	supplementary administration
보조호흡근	accessory respiratory muscle
보체	complement
보체결합반응	complement fixation reaction
보체연쇄반응	complement cascade
보충	supplement
보충요법	supplementary therapy
보툴리누스중독(증)	Botulism
보행	ambulation
보호자 개입	family engagement
복강경검사	laparoscopy

복강내감염	intraabdominal infections
복강내고혈압	intraabdominal hypertension
복강내압	intraabdominal pressure
복강동맥	celiac artery
복귀정맥혈	venous return
복근	abdominal muscle
복막강	peritoneal cavity
복막안	peritoneal cavity
복막염	peritonitis
복막자극징후	peritoneal irritation sign
복부	abdomen
복부감압술	abdominal decompression
복부구획증후군	abdominal compartment syndrome
복부대동맥	abdominal aorta
복부외상	abdominal trauma
복수	ascites
복와위	prone position
복장뼈	sternum
복제	replication
복합요로감염	complicated urinary tract infection
본태고혈압	essential hypertension
볼록면탐촉자	curved array probe
봉합	suture
부갑상샘	parathyroid hormone

부갑상샘 관련 단백질	parathyroid hormone-related protein
부갑상샘저하증	hypoparathyroidism
부갑상샘항진증	hyperparathyroidism
부갑상선저하증	hypoparathyroidism
부갑상선항진증	hyperparathyroidism
부경질막농양	paradural abscess
부고환염	epididymitis
부교감신경계통	parasympathetic nervous system
부동화	immobilization
부목	splint
부목고정	splinting
부분	segment
부분간질지속증	epilepsia partialis continua
부분복합경련중첩증	complex partial status epilepticus
부분비경련성경련중첩증	partial nonconvulsive status epilepticus
부분이산화탄소 재호흡	partial carbon dioxide rebreathing
부분재호흡산소마스크	partial rebreathing oxygen mask
부비동염	sinusitis
부상	injury
부신	adrenal gland
부신겉질	adrenal cortex
부신겉질부전	adrenocortical insufficiency
부신겉질스테로이드	adrenocortical steroid
부신겉질자극호르몬	adrenocorticotropic hormone

부신겉질자극호르몬방출인자	corticotropin-releasing factor
부신겉질자극호르몬분비호르몬	corticotropin-releasing hormone (CRH)
부신겉질호르몬	adrenocortical hormone
부신부전	adrenal insufficiency
부신속질	adrenal medulla
부신수질	adrenal medulla
부신위기	adrenal crisis
부신출혈	adrenal hemorrhage
부신피질	adrenal cortex
부신피질부전	adrenocortical insufficiency
부신피질스테로이드	adrenocortical steroid
부신피질자극호르몬	adrenocorticotropic hormone
부신피질호르몬	adrenocortical hormone
부위마취	regional anesthesia
부작용	side effect
부전	insufficiency, failure
부전도로	accessory pathway
부정맥	arrhythmia
부정맥약	antiarrhythmic drug
부정맥유발우심실심근병	arrhythmogenic right ventricular cardiomyopathy (ARVC)
부정빈맥	tachydysrhythmias
부족(증)	insufficiency
부종	edema

부지-보조삽관	bougie-assisted intubation
부착	insertion
부착분자	adhesion molecule
부하	stress, loading
부하심(장)초음파(술)	stress echocardiography
부하심(장)초음파검사	stress echocardiography
부호흡근	accessory respiratory muscle, respiratory accessory muscle
분당박출량	minute volume
분당유입량	minute inflow
분당호흡량	minute volume
분당환기량	minute ventilation
분류	classification
분리	dissociation
분만	delivery
분만전후심근병(증)	peripartum cardiomyopathy
분만전후심장근육병(증)	peripartum cardiomyopathy
분만후출혈	postpartum hemorrhage
분무	nebulization
분무기	nebulizer
분무치료	nebulization
분배	distribution
분별	discrimination
분비	secretion

분비물	secretion
분비성설사	secretory diarrhea
분시호흡수	respiratory rate (RR)/minute
분시환기량	minute ventilation
분아진균(속)피부염	blastomyces dermatitidis
분압	partial pressure
분압차	partial pressure difference
분열적혈구	fragmented erythrocyte
분열적혈구증	schistocytes
분엽	segment
분율농도	fraction concentration
분자	molecule
분절	segment
분지사슬아미노산	branched-chain amino acids
분출기	ejector
분포	distribution
분포기	distribution phase
분포쇼크	distributive shock
분포용적	volume of distribution
분화	differentiation
분획농도	fraction concentration
분획단축률	fractional shortening
불감수분상실	insensible water losses
불균형	imbalance

불균형증후군	disequilibrium syndrome
불소화퀴놀론	fluoroquinolone
불소화탄소(테프론)	fluorocarbon(teflon)
불안	anxiety
불안정협심증	unstable angina
불완전연소	incomplete combustion
불응쇼크	refractory shock
불쾌감	dysphoria
불포화지방산	unsaturated fatty acid
불화수소산	hydrofluoric acid
불활성가스	inert gas
붕괴	collapse
붕대	bandage
브라디키닌	bradykinin
브라운-세카르증후군	Brown-Sequard syndrome
브래든욕창사정점수	Braden Scale
브루가다 증후군	Brugada syndrome
브루셀라증	Brucellosis
브루진스키징후	Brudzinski's sign
블록	block
비A, 비B간염	non-A, non-B (NANB) hepatitis
비가역-	irreversible
비가역쇼크	irreversible shock
비강	nasal cavity

비강점막	nasal mucosa
비결합빌리루빈	unconjugated bilirubin
비경구수액	parenteral fluid
비경구약물	parenteral medication
비경구영양	parenteral nutrition
비경련성경련중첩증	nonconvulsive status epilepticus
비괴사성 대장염	nongangrenous colitis
비괴저성 대장염	nongangrenous colitis
비뇨생식계	genitourinary system
비뇨생식기감염	urogenital tract infection
비뇨생식기계 결핵	genitourinary tuberculosis
비늘	scale
비대	hypertrophy
비대날문협착(증)	hypertrophic pyloric stenosis
비대심근병(증)	hypertrophic cardiomyopathy
비대심장근육병(증)	hypertrophic cardiomyopathy
비대유문협착(증)	hypertrophic pyloric stenosis
비동기	nonsynchronized
비디오후두경 삽관	videolaryngoscope-assisted intubation
비례압력보조환기	proportional assist ventilation (PAV)
비만	obesity
비만 호흡저하 증후군	obesity hypoventilation syndrome
비만(성) 저환기 증후군	obesity hypoventilation syndrome
비만증	obesity

비보상쇼크	decompensated shock
비브리오불니피쿠스	vibrio vulnificus
비빔소리	crepitus
비선형약동학	nonlinear pharmacokinetics
비스테로이드성 항염증제	nonsteroidal antiinflammatory drugs
비스포스포네이트	bisphophonate
비심장성폐부종	noncardiogenic pulmonary edema
비에스테르화 지방산	nonesterified fatty acids
비에스티상승심근경색증	non-ST elevation myocardial infarction (NSTEMI)
비염	rhinitis
비오틴결핍증후군	biotin deficiency syndrome
비오호흡	Biot's breathing
비용분석	cost analysis
비용해가스	undissolved gas
비용효과분석	cost-effectiveness analysis
비음이온차 대사성 산증	nonanion gap metabolic acidosis
비장	spleen
비장관	nasoenteral tube
비장비대	splenomegaly
비장적출후 감염	postsplenectomy infection
비장적출후 패혈증	postsplenectomy sepsis
비장절제후 압도적 감염	overwhelming postsplenectomy infection (OPSI)
비재호흡산소마스크	non-rebreathing oxygen mask
비재호흡장치	nonrebreathing system

비재흐름	no-reflow
비접지전력	ungrounded electrical power
비정상	abnormal
비정형용혈요독증후군	atypical hemolytic uremic syndrome
비정형폐렴	atypical pneumonia
비정형항체	atypical antibodies
비출혈	epistaxis
비측정양이온	unmeasured cations
비측정음이온	unmeasured anion
비침습(적)양압환기(법)	noninvasive positive pressure ventilation (NIPPV)
비침습양압환기	noninvasive positiv pressure ventilation (NPPV), noninviasive ventilator
비침습환기	noninvasive ventilation (NIV)
비케톤산성고혈당(증)	nonketotic hyperglycernia
비케톤성고혈당	nonketotic hyperglycernia
비특이-	nonspecific
비틀림	tortuosity
비폐쇄성장간막허혈	nonocclusive mesenteric ischemia
비활성폐결핵	inactive pulmonary tuberculosis
비후	thickening
빈맥	tachycardia
빈맥유발심근증	tachycardia-induced cardiomyopathy
빈혈	anemia
빈호흡	tachypnea

빗장밑동맥	subclavian artery
빗장밑정맥	subclavian vein
빗장밑정맥도관삽입	subclavian vein catheterization
빗장밑정맥카테터삽입	subclavian vein catheterization
빗장뼈	clavicle
빛반사	light reflex
빠르고얕은호흡지수	rapid shallow breathing index (RSBI)
빠른내성	tachyphylaxis
빠른말초구획	rapid peripheral compartment
빠른맥	tachycardia
빠른맥유발심근증	tachycardia-induced cardiomyopathy
빠른면역화	tachyphylaxis
빠른부정맥	tachydysrhythmias
빠른전환단백	rapid turn-over proteins
빠른폐단위	fast lung unit
빠른호흡	tachypnea
빨기	suction
빽빽거림	rhonchi
뼈대근육	skeletal muscle
뼈속질	medulla, bone marrow
뼈연화증	osteomalacia

사	death
사강	dead space
사강환기	dead space ventilation
사구체신(장)염	glomerulonephritis
사구체여과	glomerulus filtration
사구체여과율	glomerular filtration rate
사구체질환	glomerular disease
사람T세포림프친화바이러스1형	human T-lymphotropic virus type-1
사람고칼슘혈증	humoral hypercalcemia
사람면역결핍바이러스	human immunodeficiency virus (HIV)
사람백혈구항원	human leucocyte antigens
사람헤르페스바이러스-6	human herpesvirus-6
사람헤르페스바이러스-8	human herpesvirus-8
사르코이드증	sarcoidosis
사립체	mitochondria
사립체기능상실(부전)	mitochondria failure
사망	mortality, expiration, death
사망률	mortality, mortality rate
사망률예측모델	mortality prediction model (MPM)

사멸	death
사상자	casualty
사슬알균	Streptococcus
사슬알균-	Streptococcal
사슬알균감염후토리콩팥염	Poststreptococcal glomerulonephritis
사슬알균인두염	Streptococcal pharyngitis
사용의존적차단	use-dependent block
사이기	resting phase
사이뇌동공	diencephalic pupils
사이질	interstitium
사이질-	interstitial
사이질공간	interstitial space
사이질액	interstitial fluid
사이질조직	interstitial tissue
사이질콩팥염	interstitial nephritis
사이질폐렴	acute interstitial pneumonia
사이질폐질환	interstitial lung disease
사이클론	cyclones
사잇길	shunt
사전동의	informed consent
사전의사결정	informed decision making
사지	extremity
사행성	tortuous
산	acid

산과	obstetrics
산과적 출혈	obstetric hemorrhage
산과질환	obstetric disease
산과학	obstetrics
산도	acidity
산소	oxygen
산소공급	oxygen supply, oxygenation
산소교환장애	oxygen exchange disturbance
산소농도	oxygen concentration
산소대사	aerobic metabolism
산소독성	oxygen toxicity
산소마스크	oxygen mask
산소분압	oxygen partial pressure (PO_2), partial pressure of oxygen
산소분압/투여 산소분획 비	P/F ratio
산소분자	oxygen molecule
산소분출기	oxygen ejector
산소섭취량	oxygen uptake
산소소모	oxygen consumption (VO_2)
산소요구량	oxygen demand
산소요법	oxygen therapy
산소용량	oxygen capacity
산소운반	oxygen delivery (DO_2), oxygen transport
산소이용	oxygen utilization

산소이용률	O_2 utilization ratio
산소저장기	oxygen reservoir
산소전달량	oxygen flux
산소추출	oxygen extraction
산소추출률	O_2 extraction ratio (O_2ER), oxygen extraction ratio
산소텐트	oxygen tent
산소투여방법	oxygenation method
산소투여장치	oxygen delivery system
산소포화도	oxygen saturation (SO_2)
산소함량차	oxygen content difference
산소해리	oxygen dissociation
산소헤모글로빈	oxyhemoglobin
산소헤모글로빈포화도(곡선)	oxyhemoglobin saturatíon (curve)
산소혈색소	oxyhemoglobin
산소화	oxygenation
산소화과정	oxygenation process
산소화능력	oxygenation capacity
산소화합물	oxygen compound
산소확산	oxygen diffusion
산소후드	oxygen hood
산소흡수	oxygen absorption
산소흡입	oxygen inhalation
산-염기상태	acid-base status

산증	acidosis
산출	output
산혈증	acidemia
산화스트레스	oxidative stress
산화인산화	oxidative phosphorylation
산화적 대사	oxidative metabolism
산화제생성	oxidant formation
산화질소	nitric oxide (NO)
산화질소공여제	nitric oxide donors
산화질소합성억제제	nitric oxide synthase inhibitors
산화질소흡입	nitric oxide inhalation
산화헤모글로빈	oxygenated hemoglobin (oxidized hemoglobin)
산화혈색소	oxygenated hemoglobin (oxidized hemoglobin)
산화혈색소해리곡선	oxyhemoglobin dissociation curve
산화환원효소2	oxidoreductins 2
살부타몰	Salbutamol
삶의질	quality of Life
삶의질 고려한 여명	quality-adjusted life year
삼도방실차단	third-degree atrioventricular block
삼요오드티로닌	triiodothyronine (T3)
삼중기도처치법	triple airway maneuver
삼첨판역류	tricuspid regurgitation
삼첨판협착(증)	tricuspid stenosis
삼첨판환상면 수축기편위	tricuspid annular plane systolic excursion (TAPSE)

삼출기	exudative stage
삼출설분비물	exudatory secretion
삼킴곤란	dysphagia
삼투(압)수용기	osmoreceptor
삼투성 설사	osmotic diarrhea
삼투성 탈수초 증후군	osmotic demyelination syndrome
삼투성이뇨	osmotic diuresis
삼투압농도	osmolarity
삼투압차	osmolar gap
삼투질농도	osmolality
삼환항우울제	tricyclic antidepressant
삽관	intubation
삽관법	intubation
삽관용 후두마스크	intubating laryngeal mask airway (ILMA)
삽입	insertion
삽입기	introducer
삽입약물전달시스템	implantable drug delivery system
삽입제세동기	implantable cardioverter-defibrillator (ICD)
상	phase
상급심장소생술	advanced cardiac life support
상급외상소생술	advanced trauma life support
상기도	upper respiratory tract
상기도폐쇄	upper airway obstruction
상대정맥	superior vena cava (SVC)

상대정맥증후군	superior vena cava syndrome
상부	upper portion
상부위장출혈	upper gastrointestinal bleeding
상부위창자출혈	upper gastrointestinal bleeding
상심실성부정맥	supraventricular arrhythmia
상심실성빈맥	supraventricular tachycardia
상엽	upper lobe
상완동맥	brachial artery
상완동맥삽입술	brachial artery cannulation
상용량	routine dosage
상장간막동맥	superior mesenteric artery
상지	upper extremity
상처	wound
상처감염	wound infection
상처패혈증	wound sepsis
상피세포	epithelial cell
상하운동안구움직임	bobbing eye movement
상행그물활성계	ascending reticular activating system
상행담관염	ascending cholangitis
상행대동맥	ascending aorta
상행쓸개관염	ascending cholangitis
상호작용	interaction
샅고랑 인대	inguinal ligament
새기	leakage

색소희석법	dye dilution method
색전술	embolization
색전제거(술)	embolectomy
색전증	embolism
색전형성	embolization
샘	gland
샘낭종	adenocystoma
샘종	adenoma
샘창자외상	duodenal trauma
샛길	fistula
생리식염수	normal saline
생리적사강	physiologic dead space
생리적효과	physiologic effect
생리학적	physiologic
생명보조장치철회	life-support withdrawal
생명윤리위원회	institutional review board (IRB)
생물테러	bioterrorism
생물표지자	biomarker
생물학	biology
생물학무기	biological weapons
생산	production
생산율	production rate
생성	synthesis
생존유서	living will

생존율	survival rate
생착기호흡곤란증후군	periengraftment respiratory distress syndrome
생착증후군	engraftment syndrome
생체되먹임	biofeedback
생체반응	biologic response
생체반응물질	bioreactance
생체이용률	bioavailability
생체인공간	bioartificial liver
생체전기	bioelectric
샤르코동맥	Charcots artery
서맥	bradycardia
서맥성부정맥	bradyarrhythmia
서행지속치료	slow continuous therapy
서혜인대	inguinal ligament
석고붕대	cast
선	gland
선낭종	adenocystoma
선량	dosage
선별검사	screening test
선상두개골절	linear skull fracture
선절연감시장치	line isolation monitor (LIM)
선제적치료	preemptive therapy
선제진통	preemptive analgesia
선종	adenoma

선천-	congenital
선천결손(증)	congenital deficiency
선천결핍	congenital deficiency
선천기관연화증	congenital tracheal malacia
선천부신과다형성	congenital adrenal hyperplasia
선천성 가로막 탈장	congenital diaphragmatic hernia
선천심장기형	congenital cardiac abnormality
선천심장병	congenital heart disease
선천콩팥위샘과다형성	congenital adrenal hyperplasia
선행진통	preemptive analgesia
선형탐색자	linear probe
설골	hyoid bone
설사	cathartic, diarrhea
설사제	cathartic
설탕	sugar
설하-	sublingual
설하압측정(법)	sublingual tonometry
섬광조영(술)	scintigraphy
섬망	delirium
섬모	cilia
섬모기능장애	ciliated functional disorder
섬유	fiber
섬유결합소	fibronectin
섬유낭병	fibrocystic disease

섬유막형성	fibrous membrane formation
섬유모세포	fibroblast
섬유모세포성장인자	fibroblast growth factor
섬유성폐포염	fibrosing alveolitis
섬유소	fibrin
섬유소분해	fibrin degradation
섬유소분해산물	fibrin degradation product (FDP)
섬유소삼출액	fibrinous exudate
섬유소용해	fibrinolysis
섬유소용해능	fibrinolytic activity
섬유소원	fibrinogen
섬유소원분해산물	fibrinogen degradation products product
섬유소응집	fibrin aggregation
섬유화기	fibrosis period
성대	vocal cord
성대마비	vocal cord paralysis
성대문	glottis
성대문밑협착(증)	subglottic stenosis
성대문수축	laryngeal constriction
성대문연축	laryngospasm
성대문폐쇄	glottic closure
성대위	supraglottis
성대위부위	supraglottic area
성대종양	vocal cord tumor

성문	glottis
성문부종	glottic edema
성문상	supraglottis
성문연축	laryngospasm
성문외기도기	extraglottic airway
성문하협착(증)	subglottic stenosis
성숙	maturation
성장 호르몬 결핍증	growth hormone deficiency
성장호르몬	growth hormone
성장호르몬방출호르몬	growth hormone-releasing hormone (GHRH)
성장호르몬억제인자	somatostatin
성홍열	scarlet fever
세갈래근부위 피부두께	triceps skinfold thickness
세균	bacteria, bacterium
세균-	bacterial
세균감염	bacterial infection
세균뇨	bacteriuria
세균독소	bacterial toxin
세균복막염	bacterial peritonitis
세균수막염	bacterial meningitis
세균심장막염	bacterial pericarditis
세균이질	bacillary dysentery
세균집락	bacterial colony
세균폐렴	bacterial pneumonia

세균혈증	bacteremia
세기관지	bronchiole
세기관지염	bronchiolitis
세동제거	defibrillation
세동제거기	defibrillator
세로칸공기증	pneumomediastinum
세로칸염	mediastinitis
세룰로플라스민	ceruloplasmin
세척	irrigation
세팔로스포린	cephalosporin
세포	cell, fiber
세포-	cellular
세포간부착분자	intercellular adhesion molecule
세포내섭취	endocytosis
세포내액	intracellular fluid
세포내활성산소종	intracellular reactive oxygen species (intracellular ROS)
세포독성T세포	cytotoxic T cell
세포독성뇌부종	cytotoxic brain edema
세포막	cell membrane
세포바깥액	extracellular fluid
세포바깥용적	extracellular volume
세포분비액	transcelluar fluid
세포사이부착분자	intercellular adhesion molecule
세포손상	cell injury

세포신호전달과정	cellular signal transduction process
세포액	cellular fluid
세포외배출	exocytosis
세포외액	extracellular fluid
세포외용적	extracellular volume
세포자멸사	apoptosis
세포자멸억제제	apoptosis inhibitors
세포질	cytoplasm, plasma
세포질그물	endoplasmic reticulum
세포질세망	endoplasmic reticulum
세포질유리칼슘	cytosolic free calcium
셀딩거법	seldinger technique
셀레늄	selenium
션트	shunt
션트율	shunt rate
션트효과	shunt effect
소금	salt
소뇌출혈	cerebellar hemorrhage
소뇌무언증	cerebellar mutism
소뇌천막	tentorium cerebelli
소뇌편도탈출	tonsillar herniation
소량영양소	micronutrients
소마토스타틴	somatostatin
소모	consumption

소모성응고병(증)	consumption coagulopathy
소변	urine
소변감소	oliguria
소변배출량	urine output
소비	consumption
소비량	expenditure
소생	resuscitation
소생개흉술	resuscitative thoracotomy
소생술	resuscitation
소생술기대수준	code status
소생술포기	do not resuscitate (DNR)/ do not attempt resuscitation (DNAR)
소아	pediatric
소아신경외과 집중치료	pediatric neurosurgical intensive care
소아과학	pediatric
소아외상점수	pediatric trauma score
소아중환자실	pediatric intensive care unit (ICU)
소아질환	pediatric disorder
소장	small intestine
소진	exhaustion
소체	body
소화성궤양	peptic ulcer disease
속공간	lumen
속눈썹	cilia

속도시간적분	velocity time integral (VTI)
속도의존편위전도	rate-dependent aberrancy
속목정맥	intemal jugular vein, internal carotid vein
속목정맥거짓동맥류	internal carotid artery pseudoaneurysm
속발자연기흉	secondary spontaneous pneumothorax
속임약	placebo
속질	medulla, marrow
속질곁콩팥단위	juxtamedullary nephron
속질집합관	medulla collecting duct
속호흡	internal respiration
손가락	finger
손상	injury
손상관련분자양식	damage-associated molecular pattern (DAMP)
손상중증도점수	injury severity score
손상통제	damage control
손상통제수술	damage control surgery
쇄골	clavicle
쇄골하동맥	subclavian artery
쇄골하정맥	subclavian vein
쇠약	weakness
쇠퇴기	ebb phase
쇼크	shock
수	fluid
수동적과정	passive process

수동적하지거상검사	passive leg raise test
수동환기	manual ventilation
수두	chickenpox
수두대상포진바이러스	varicella-zoster virus
수두증	hydrocephalus
수력학방정식	hydraulic equation
수막구균혈증	meningococcemia
수막뇌염	meningoencephalitis
수막알균	meningococcus
수막알균혈증	meningococcemia
수막염	meningitis
수막자극증후군	meningeal irritation syndrome
수면불안척도	sedation agitation scale
수면진정	sedative-hypnotics
수면휴지기	sedation holidays
수분부족	water deficit
수분감소	inspissation
수분누출	transduction
수분제한	water restriction
수상돌기	dendrite
수성콜로이드	hydrocolloids
수술	surgery, operation
수술에 의한-	perioperative
수술합병증	surgical complication

수신자조작특성곡선	relative operating characteristic curve (ROC curve)
수신증	hydronephrosis
수액	fluid
수액과다	fluid overload
수액치료	fluid management, fluid therapy
수용기	receptor
수용체	receptor
수입	afferent
수정체뒤-	retrolental
수정체뒤섬유증식	retrolental fibroplasias
수조	reservoir
수지상세포	dendritic cell
수질	medulla
수질옆신원	juxtamedullary nephron
수질집합관	medulla collecting duct
수초 기초단백질	myelin basic protein
수초화	myelination
수축	contraction, constriction
수축기기능	systolic function
수축기압	systolic pressure
수축력	contractility
수축력요법	inotropic therapy
수축성	contractility
수축촉진약	inotropic drug

수출-	efferent
수컷-	male
수크랄페이트	sucralfate
수포	bleb
수포발진	bullous rash
수포음	rale
수혈	blood transfusion, transfusion
수혈관련폐손상	transfusion related acute lung injury (TRALI)
수혈후자색반	posttransfusion purpura (PTP)
숙주	host
순응	adaptation
순응도	compliance
순차적가로창자성형술	serial transverse enteroplasty
순환	circulation
순환기능상실	circulatory failure
순환보조	circulatory support
순환부전	circulatory failure
순환쇼크	circulatory shock
순환용적	circulating volume
순환혈류량	circulating volume
순환호흡배운동언어척도	circulation, respiration, abdomen, motor, speech (CRAMS) scale
순환호흡장치	circle breathing system
순환회로	circle system

숨길	airway
숨뇌	medulla, medulla oblongata
숨뇌마비	bulbar palsy
숨뇌속혈종	intramedullary hemorrhage
숨쉬기	breathing
숨참	shortness of breath
스완간즈카테터	Swan-Ganz catheter
스케일	scale
스타틴	statins
스테로이드	steroid
스텐트	stent
스텐트삽입술	stent insertion
스트레스	stress
스트레스관련점막질환	stress-related mucosal disease
스트레스궤양	stress ulcer
스트레스궤양예방	stress ulcer prophylaxis
스트레스유발심근병증	stress-induced cardiomyopathy
스트렙토키나아제	streptokinase
스펙트럼	spectrum
스피로놀락톤	spironolactone
승모판	mitral valve
승모판기능부족	mitral insufficiency
승모판역류	mitral regurgitation
승모판폐쇄기능부족	mitral insufficiency

승모판협착(증)	mitral stenosis
승압제	pressor, pressor agent
시각아날로그척도	visual analog pain scale (VAS)
시각통증등급	visual analog pain scale (VAS)
시간상수	time constant
시기	stage
시뮬레이션기반학습	simulation-based learning
시상출혈	thalamic hemorrhage
시상하부	hypothalamus
시상하부-뇌하수체-갑상선축	hypothalamic-pituitary-thyroid axis
시상하부뇌하수체축	hypothalamic pituitary axis
시스타틴 C	cystatin C
시신경유두부종	papilledema
시안화물	cyanide
시안화수소	hydrogen cyanide
시작	onset
시클로옥시게나아제	cyclooxygenase (COX)
시토카인	cytokine
시토크롬 P-	cytochrome P-
시토크롬산화효소	cytochrome oxidase
시험	test
시험관	tube
식도	esophagus
식도기관삽관튜브	esophageal-tracheal combitube

식도내삽관	esophageal intubation
식도암	esophageal cancer
식도염	esophagitis
식도위내시경검사(법)	esophagogastroduodenoscopy
식도정맥류	esophageal varices
식도칸디다증	candida esophagitis
식도풍선눌림술(압착술)	esophageal balloon tamponade
식물상태	vegetative state
식별	discrimination
식염	saline
식염수	saline
식욕부진	anorexia
식이관	feeding tubes
신경계	nervous system
신경계장애	neurologic disorder
신경계중환자실	neurological intensive care unit (ICU)
신경계질환	neurologic disorder
신경계통	nervous system
신경근(육)이음부	neuromuscular junction
신경근육질환	neuromuscular disorders
신경근접합부	neuromuscular junction
신경근차단제	neuromuscular blocking agents, neuromuscular blocker
신경낭미충증	neurocysticercosis

신경내분비	neuroendocrine
신경보호	neuroprotection
신경성쇼크	neurogenic shock
신경성폐부종	neurogenic pulmonary edema
신경외과적 합병증	neurosurgical complications
신경외과집중치료실	neurosurgical intensive care
신경원특이에놀라아제	neuron specific enolase (NSE)
신경인자	neurogenic factor
신경인지검사군	neurocognitive test battery
신경작용제	nerve agents
신경잔섬유 단백	neurofilament proteins
신경전달물질	neurotransmitters
신경전도검사	nerve conduction test (NCT)
신경집중치료	neurocritical care
신경축진통	neuraxial analgesia
신경학적 상태	neurologic status
신경학적검사	neurologic examination
신경학적계수	neurologic profile
신경학적동공지수	neurologic pupil index
신근위세관산증	proximal renal tubular acidosis
신기능장애	renal dysfunction
신대체요법	renal replacement therapy
신부전	renal failure
신생간기	neohepatic phase

신생물질환	neoplastic disease
신생아	neonate
신생아동종면역성혈소판감소증	neonatal alloimmune thrombocytopenia (NAIT)
신생아심근	neonatal myocardium
신생아중환자실	neonatal intensive care unit (ICU)
신생아질식	neonatal asphyxia
신선냉동혈장	fresh frozen plasma (FFP)
신세관산증	renal tubular acidosis
신속관류검사	fast-flush test
신속대응팀	medical emergency team, rapid response system (RRS)
신속미생물진단법	rapid microbiological diagnostics
신속신경검진	rapid neurologic examination
신우신염	pyelonephritis
신장	kidney
신장-	renal
신장농양	renal abscess
신장결석증	nephrolithiasis
신장기능부족	renal insufficiency
신장기원요붕증	nephrogenic diabetes insipidus
신장단위	nephron
신장동맥	renal artery
신장동맥협착	renal artery stenosis
신장병	kidney disease
신장병(증)	nephropathy

신장보조	renal support
신장섬유화	renal fibrosis
신장이식(술)	renal transplantation
신장주위농양	perinephric abscess
신장초음파	renal ultrasonography
신장피질	renal cortex
신장혈관고혈압	renovascular hypertension
신증후군	acute nephritic syndrome, nephrotic syndrome
신체검사	physical examination
신체비만지수	body mass index (BMI)
신체질량지수	body mass index (BMI)
신혈류량	renal blood flow
신호전달	signal transduction
실내공기	room air
실신	syncope, fainting
실조성호흡	ataxic breathing
실질 출혈	parenchymal hemorrhage
실질내혈종	intraparenchymal hematoma
심	heart
심(장)근(육)괴사	myocardial necrosis
심(장)근(육)수축력	myocardial contractility
심(장)근(육)수축성	myocardial contractility
심(장)근(육)타박	myocardial contusion
심(장)내막염	endocarditis

심(장)에코사진	echocardiogram
심(장)초음파(술)	echocardiography
심(장)초음파검사	echocardiography
심(장)초음파상	echocardiogram
심근	myocardium
심근-	myocardial
심근경색증	myocardial infarction
심근경색후심낭염	postinfarction pericarditis
심근관류섬광조영(술)	myocardial perfusion scintigraphy
심근기능장애	myocardial dysfunction
심근병(증)	myocardiopathy
심근병증	cardiomyopathy
심근염	myocarditis
심근층	myocardium
심근허혈	myocardial ischemia
심근혈류량	myocardial blood flow
심낭기종	pneumopericardium
심낭마찰음	pericardial friction rub
심낭막절개술후증후군	postpericardiotomy syndrome
심낭질환	pericardial disease
심내막심(장)근(육)생검	endomyocardial biopsy
심리적외상	psychological trauma
심박수	heart rate
심박장애	dysrhythmias

심방나트륨이뇨펩티드	atrial natriuretic peptide (ANP)
심방된떨림	atrial flutter
심방부정맥	atrial arrhythmia
심방부정빈맥	atrial tachyarrhythmia
심방빈맥	multifocal atrial tachycardia, atrial tachycardia
심방빠른맥	atrial tachycardia
심방빠른부정맥	atrial tachyarrhythmia
심방사이막결손	atrial septal defect (ASD)
심방세동	atrial fibrillation
심방심실이음부	atrioventricular junction
심방잔떨림	atrial fibrillation
심방점액종	atrial myxoma
심방조동	atrial flutter
심방조율	atrial pacing
심방중격결손	atrial septal defect (ASD)
심방충만압	atrial filling pressure
심부전	heart failure
심부정맥	deep vein
심부정맥혈전증	deep venous thrombosis
심실기능	ventricular function
심실기능장애	ventricular dysfunction
심실기외수축	premature ventricular contraction, ventricular premature contraction (VPC)
심실대혈관불일치연결	ventriculoarterial discordance

심실-동맥결합	ventricular-arterial coupling
심실보조기	ventricular assist device (VAD)
심실부전	ventricular failure
심실부정맥	ventricular arrhythmia
심실비대	ventricular hypertrophy
심실빈맥	ventricular tachycardia
심실빠른맥	ventricular tachycardia
심실사이막	ventricular septum
심실사이막결손	ventricular septal defect (VSD)
심실세동	ventricular fibrillation
심실유도율동	ventricular paced rhythm
심실잔떨림	ventricular fibrillation
심실조기박동	ventricular premature beat
심실주기외박동	ventricular premature beat
심실중격	ventricular septum
심실중격결손이 없는 폐동맥 폐쇄	pulmonary atresia with intact ventricular septum
심실중격결손	ventricular septal defect (VSD)
심실충만	ventricular filling
심인성다음증	psychogenic polydipisa
심인성혼수	psychogenic coma
심장	heart
심장계중환자실	cardiac care unit
심장근섬유활성제	cardiac myosin activator
심장근육	myocardium

심장근육-	myocardial
심장근육병증	cardiomyopathy
심장근육층	myocardium
심장근육허혈	myocardial ischemia
심장기능	cardiac function
심장기능상실	heart failure
심장내션트	intracardiac shunts
심장눌림증	cardiac tamponade
심장도관삽입	cardiac catheterization
심장동맥	coronary artery
심장동맥병	coronary artery disease
심장동맥우회술	coronary artery bypass graft
심장동맥재개통(술)	coronary revascularization
심장동맥조영(술)	coronary arteriography
심장동맥집중치료실	coronary care unit
심장동맥혈	coronary arterial blood
심장동맥혈저하	coronary insufficiency
심장막	pericardium
심장막공간	pericardial space
심장막낭	pericardial cyst
심장막눌림증	pericardial tamponade
심장막마찰음	pericardial friction rub
심장막병	pericardial disease
심장막삼출액	pericardial effusion

심장막성형술	pericardioplasty
심장막액	pericardial fluid
심장막염	pericarditis
심장막절제(술)	pericardiectomy
심장막조루(술)	pericardiostomy
심장막창냄(술)	pericardiostomy
심장막천자	pericardiocentesis
심장박동수	heart rate
심장박동장애	dysrhythmias
심장박동조율기	cardiac pacemaker
심장박출계수	cardiac index
심장박출량	cardiac output
심장병	heart disease
심장부정맥	cardiac arrhythmia
심장비대	cardiomegaly
심장사후기증	donation after cardiac death
심장성쇼크	cardiogenic shock
심장성폐부종	cardiogenic pulmonary edema
심장수축촉진제	cardiac inotropic agent
심장외과	cardiac surgery
심장율동전환	cardioversion
심장잡음	cardiac murmur
심장전도	cardiac conduction
심장정지	cardiac arrest

심장진탕	commotio cordis
심장차단	heart block
심장충만압	cardiac filling pressure
심장카테터삽입	cardiac catheterization
심장탓쇼크	cardiogenic shock
심장탓폐부종	cardiogenic pulmonary edema
심장판막기능부족	valvular insufficiency
심장판막장애	heart valve disorders
심장폐우회로	cardiopulmonary bypass
심장폐이식	heart-lung transplantation
심장표지자	cardiac biomarker
심장혈류	coronary blood flow
심전도	electrocardiogram
심전도법	electrocardiography
심정지후기증	donation after circulatory death (DCD)
심정지후손상증후군	postcardiac injury syndrome
심정지후증후군	postcardiac arrest syndrome
심정지후치료	post-cardiac arrest care
심폐계	cardiopulmonary system
심폐뇌소생술	cardiopulmonary-cerebral resuscitation (CPCR)
심폐소생술	cardiopulmonary resuscitation (CPR)
심혈관계	cardiovascular system
심혈관계통	cardiovascular system
심혈관기능	cardiovascular function

심혈관질환	cardiovascular disease
십이지장외상	duodenal trauma
쌕쌕거림	wheezing
썰물기	ebb phase
쐐기	wedge
쓸개	gallbladder
쓸개(주머니)염	cholecystitis
쓸개(주머니)절제(술)	cholecystectomy
쓸개길출혈	hemobilia
쓸개돌	gallstone
쓸개즙	bile juice
쓸개즙정체	cholestasis
쓸개즙정체황달	cholestatic jaundice
쓸개창냄술	cholecystostomy

아교모세포종	glioblastoma
아교세포섬유산성단백질	glial fibrillary acidic protein
아교질침착	collagen deposition
아급성파종혈관내응고증	subacute disseminated intravascular coagulation
아나필락시스쇼크	anaphylactic shock
아동학대	child abuse
아드레날린	adrenaline
아라키돈산	arachidonic acid
아래대정맥	inferior vena cava
아래창자간막동맥	inferior mesenteric artery
아래턱가지	mandible rami
아래턱뒷당김	retrognathism
아래팔근막절개술	antebrachial fasciotomy
아르기닌	arginine
아르테메터	artemether
아메바수막뇌염	amebic meningoencephalitis
아메바이질	amebic dysentery
아미노산	amino acid
아미노필린	aminophylline

아밀로라이드	amiloride
아밀로이드뇌혈관병증	cerebral amyloid angiopathy
아밀로이드증	amyloidosis
아세부톨롤	acebutolol
아스페르길루스종	aspergillus spp.
아스페르길루스증	aspergillosis
아스피린	aspirin
아시네토박테르(속)	acinetobacter
아연	zinc
아이코사노이드	eicosanoid
아토피	atopy
아트로핀	atropine
아편유사제	opioids
아편제제	opiate
아프로티닌	aprotinin
악성고혈압	malignant hypertension
악성병변	malignant lesion
악성종양	malignant tumor
악성질환	malignant disease
안구내고혈압	intraocular hypertension
안구내출혈	intraocular hemorrhage
안구뒤부종	retrobulbar edema
안구운동발작	oculogyric crisis
안내도관	introducer

안면	face
안면마스크	full face mask
안면외상	facial trauma
안압측정(법)	tonometry
안정	stable
안정전위	resting potential
안정협심증	stable angina
앉아숨쉬기	orthopnea
알고리즘	algorithm
알데하이드탈수소효소	aldehyde dehydrogenase
알도스테론	aldosterone
알레르기항원	allergen
알부민	albumin
알츠하이머병	Alzheimer disease
알칼리	base
알칼리증	alkalosis
알칼리혈증	alkalemia
알코올금단증후군	alcohol withdrawal syndrome
알코올중독	alcohol intoxication
알코올케톤산증	alcoholic ketoacidosis
알파종양괴사인자억제제	tumor necrosis factor (TNF)-alpha inhibitor
알파토코페롤	alpha-tocopherol
암	malignancy
암모니아	ammonia

암죽가슴(증)	chylothorax
암죽심막(증)	chylopericardium
암컷	female
압	pressure
압궤손상증후군	crush injury syndrome
압력	pressure
압력궤양	pressure ulcers
압력규제용량조절	pressure-regulated volume control
압력기울기	pressure gradient
압력반응지표	pressure reactivity index
압력변화	pressure change
압력보조	pressure support
압력보조환기	pressure support ventilation (PSV)
압력비례호흡보조	proportional pressure support (PPS)
압력성폐부종	hydrostatic pulmonary edema
압력손상	barotrauma
압력수용기	baroreceptor
압력용적곡선	pressure volume curve
압력유발	pressure triggering
압력조절환기(법)	pressure-controlled ventilation (PCV)
압력차	pressure gradient
압박붕대	pressure bandage
압박정맥초음파촬영술	compression venous ultrasonography
압통	tenderness

앙기나	angina
앙와위	supine position
앙와위저혈압증후군	supine hypotensive syndrome
앞겨드랑선	anterior axillary line
앞뇌하수체호르몬	anterior pituitary gland hormones
앞정강동맥	anterior tibial artery
앞척수증후군	anterior cord syndrome
앞팔꿈치정맥	antecubital vein
액	fluid
액와동맥	axillary artery
액와동맥관삽입(술)	axillary artery cannulation
액체	fluid
액체혈장	liquid plasma
액체환기(법)	liquid ventilation
앤지오텐시노겐	angiotensinogen
앤지오텐신	angiotensin
앤지오텐신-1	angiotensin-1
앤지오텐신-2	angiotensin-2
앤지오텐신수용체차단제	angiotensin receptor blockers
앤지오텐신전환효소	angiotensin converting enzyme
앤지오텐신전환효소억제제	angiotensin-converting enzyme inhibitors
앤지오포이에틴-2	angiopoietin-2
앰부주머니	air mask bag unit (AMBU)
약	drug

약동학모형구동주입장치	pharmacokinetic model-driven infusion system
약력학	pharmacodynamics
약물	drug
약물과량	drug overdose
약물과량투여	drug overdose
약물동력학	nonlinear pharmacokinetics, pharmacokinetics
약물력학	pharmacodynamics
약물상호작용	drug interaction
약물요법	drug therapy
약물유해반응	adverse drug events
약물전달체계	drug delivery system
약물중독	drug intoxication
약물혈전용해	pharmacologic thrombolysis
약분	reduction
약제	drug
약제내성결핵	drug-resistant tuberculosis
양	volume
양극	anode
양극-	bipolar
양성자펌프억제제	proton pump inhibitor
양성종양	benign tumor
양수	amniotic fluid
양수색전증	amniotic fluid embolism
양심실보조장치	bilateral ventricular assist devices

양압	positive pressure
양압환기	positive pressure ventilation
양이온	cation
양전자방출단층촬영술	positron emission tomography (PET)
양쪽-	bilateral
양측-	bilateral
양측성대마비	bilateral vocal cord paralysis
양측폐야	bilateral lung field
얕은	superficial
얕은관자동맥	superficial temporal artery
얕은연조직염	erysipelas
얕은호흡	shallow breath
어깨뼈	scapula
어려운기도	difficult airway
어린이학대	child abuse
억제인자	inhibitor
억제제	inhibitor
언어장애(증)	dysphasia
얼굴	face
얼음물익사	ice-water drowning
엇갈림손상	shearing injury
엎드린자세	prone position
에너지대사	energy metabolism
에너지소비	energy expenditure

에너지원	energy source
에르고트 알칼로이드	Ergot alkaloids
에르리히증	ehrlichiosis
에볼라바이러스	Ebola virus
에스트로겐	estrogen
에스티분절상승 심근경색증	ST-elevation myocardial infarction (STEMI)
에이즈	acquired immune deficiency syndrome (AIDS)
에이즈관련증후군	AIDS-related complex
에탄올증후군	ethanol syndrome
에틸렌 글리콜 중독	ethylene glycol poisoning
에피네프린	epinephrine
에피네프린유발 부정맥	epinephrine-induced arrhythmia
엑소시토시스	exocytosis
엔도시토시스	endocytosis
엔터로바이러스(속)	enterovirus
엔테로바이로스 세기관지염	enteroviral bronchiolitis
엠토르억제제	mTOR inhibitor
엡스타인-바바이러스	epstein-barr virus
여과	filtration
여러신경병(증)	polyneuropathy
여러전문분야팀	multidisciplinary team
여러형태-	polymorphic
여성	female
여유	clearance

역동적-	dynamic
역류저지판막	check valve
역비환기	inverse ratio ventilation
역사용의존적 차단	reverse use-dependent block
역포물선	inverse parabolic curve
역행기관내삽관	retrograde intubation
연결간격	coupling interval
연구개	soft palate
연명의료의사지시서	Physician order for Life-Sustaining Treatment (POLST)
연명치료	life-sustaining treatment
연명치료를 위한 의학적지침	Medical Orders for Life-Sustaining Treatment (MOLST)
연변치주염	marginal periodontitis
연부조직감염	soft-tissue infections
연속적맥박 표시 심박출량시스템	pulse indicator continuous cardiac output system (PICCO system)
연쇄구균인두염	streptococcal pharyngitis
연쇄구균	Streptococcus
연쇄구균-	Streptococcal
연쇄구균감염후사구체신염	Poststreptococcal glomerulonephritis
연쇄구균근괴사	Streptococcal myonecrosis
연수	medulla oblongata, soft water, medulla
연수내혈종	intramedullary hemorrhage

연수마비	bulbar palsy
연장소생술	prolonged life support
연조직	soft tissue
연조직염	cellulitis
연하곤란	dysphagia
연화증	malacia
열	pyrexia, fever
열대(병)성 질환	tropical diseases
열사병	heat stroke
열상	laceration, thermal injury
열스트레스질병	heat stress illness
열습도교환기	heated moisture exchangers
열전도	heat conduction
열희석곡선	thermodilution curve
열희석법	thermodilution method
염	salt, inflammation
염기	base
염기결핍	base deficit (BD)
염기과잉	base excess (BE)
염류	saline
염분저류(제한)	salt retention
염산	hydrochloric acid
염소	chlorine
염전성심실빈맥	torsades de pointes

염전성심실빈맥부정맥	torsades de pointes arrhythmia
염증	inflammation
염증-	inflammatory
염증매개물	inflammatory mediator, inflammation-mediated material
염증매개체	inflammatory mediator
염증미란	inflammatory erosion
염증반응	inflammatory response
염증부종	inflammatory edema
염증사이토카인	inflammatory cytokine
염증성장질환	inflammatory bowel disease
염증세포	inflammatory cell
염증유발기전	proinflammatory mechanism
염증창자질환	inflammatory bowel disease
염화나트륨	sodium chloride
염화메틸렌	methylene chloride
염화물	chloride
염화칼륨	potassium chloride
염화칼슘	calcium chloride
영아돌연사증후군	sudden infant death syndrome (SIDS)
영양공급부족	underfeeding
영양상태 평가	nutritional assessment
영양실조	malnutrition
영양재개증후군	refeeding syndrome

영양지원	nutritional support
옆누운자세	lateral decubitus
예방	prevention
예방산소투여	preoxygenation
예비하중	preload
예정수술	elective operation
예후	prognosis
오길비증후군	Ogilvie's syndrorne
오로야열	oroya fever
오른심방	right atrium
오른심실	right ventricle (RV)
오른심실기능상실	right ventricular failure
오른심실기능장애	right ventricular dysfunction
오른심실박출작업지수	right ventricular stroke work index
오른왼쪽션트	right to left shunt
오른쪽으로 전위	shift to right
오름대동맥	ascending aorta
오목부종	pitting edema
오스몰농도	osmolarity
오존	ozone
오줌	urine
옥살산	oxalic acid
옥시토신	oxytocin
온도	temperature

온도눈떨림(안진)검사	cold water caloric test (COWS)
온목동맥	common carotid artery
온몸순환	systemic circulation
온수눈떨림검사	caloric test
온쓸개관 점막	common bile duct mucosa
온쓸개관손상	common bile duct injury
온쓸개관창냄술	choledochostomy
온열치료	hyperthermia
온허파용량	total lung capacity (TLC)
온혈액	whole blood
올가미	snares
옵소닌화	opsonization
와류	turbulent flow
와파린	warfarin
완만분포기	slow distribution phase
완전비경구영양법	total parenteral nutrition (TPN)
완전상심실성 빈맥	complete supraventricular tachycardia
완전폐색	complete obstruction
완충계	buffer system
완충액(제)	buffer
외경정맥	external carotid vein
외과	surgery
외과계중환자실	surgical intensive care unit (SICU)
외과적색전제거술	open surgical embolectomy

외과학	surgery
외독소	exotoxin
외벽	external wall
외부압박	external compression
외상	trauma
외상뇌손상	traumatic brain injury (TBI)
외상성가성폐낭종	posttraumatic pulmonary pseudocyst
외상손상중증도점수	trauma injury severity score
외상쇼크	traumatic shock
외상신경증	posttraumatic stress disorder (PTSD)
외상유발응고장애	trauma induced coagulopathy
외상점수	trauma score
외상중환자실	trauma intensive care unit (TICU)
외상지방괴사	traumatic fat necrosis
외상초음파	focused abdominal sonography for trauma (FAST)
외수질	outer medullary tissue
외인성경로	extrinsic pathway
외전	abduction
외측척수 증후군	lateral cord syndrome
외피	integument
외피질	outer cortex
외호흡	external respiration
왼모서리가지	left main bronchus
왼방실다발갈래차단	left bundle branch block (LBBB)

왼심방	left atrium
왼심실	left ventricle (LV)
왼심실기능장애	left ventricular dysfunction
왼축변위	left axis shift
요	urine
요감소	oliguria
요골동맥관삽입술	radial artery cannulation
요골측피부정맥	cephalic vein
요관막힘	ureteral obstruction
요관방광접합부폐색	ureterovesicular junction obstruction
요관손상	ureteral trauma
요관폐색	ureteral obstruction
요당	urine glucose
요도염	urethritis
요도외상	urethral trauma
요도폐색	urethral obstruction
요독뇌병(증)	uremic encephalopathy
요독심장막염	uremic pericarditis
요독증	uremia
요동	fluctuation
요량	urine volume
요로	urinary tract
요로감염	urinary tract infection (UTI)
요로막힘	urinary tract obstruction

요로출혈	urinary tract hemorrhage
요로패혈증	urosepsis
요로폐색	urinary tract obstruction
요붕증	diabetes insipidus
요산	uric acid
요삼투질농도	urine osmolality
요삼투차이	urine osmolal gap
요소	urea
요오드	iodide
요오드조영제	iodinated contrast media
요원주	urinary cast
요인	factor
요추뚫기	lumbar puncture
요추천자	lumbar puncture
욕지기	nausea
용량	dosage
용매	solvent
용적과부하	volume overload
용적변화	volume change
용적손상	volutrauma
용적수용기	volume receptor
용적조절환기(법)	volume-controlled ventilation (VCV)
용제	solvent
용질이뇨	solute diuresis

용해계수	solubility coefficient
용해도	solubility
용해산소	dissolved oxygen
용혈빈혈	hemolytic anemia
용혈수혈반응	hemolytic transfusion reaction
용혈요독증후군	hemolytic uremic syndrome
우각블록	right bundle branch block (RBBB)
우각차단	right bundle branch block (RBBB)
우로키나아제	urokinase
우상엽	right upper lobe
우심도자술	right-sided heart catheterization
우심박출량	right sided cardiac output
우심방	right atrium
우심부전	right heart failure
우심실	right ventricle (RV)
우심실과부하	right ventricular overload
우심실기능장애	right ventricular dysfunction
우심실박출	right ventricular ejection
우심실박출계수	right ventricular ejection fraction (EF)
우심실박출량	right ventricular output
우심실박출작업지수	right ventricular stroke work index
우심실부전	right ventricular failure
우심실압	right ventricular pressure
우심실일회박출량	right ventricular stroke volume

우심실최대수축기압	maximum right ventricular systolic pressure
우심실후부하	right ventricular afterload
우유알칼리증후군	milk-alkali syndrome
우좌단락	right to left shunts
우좌션트	right to left shunt
우측(주)기관지	right main bronchus
우측전위	right shift
우하엽	right lower lobe
운동	motor, movement
운동계	motor system
운동내성	exercise tolerance
운동단위	motor unit
운동성호흡곤란	exertional dyspnea
운동유발질환	Exercise-induced disorders
운반	transport
울혈	stasis, congestion
울혈심부전	congestive heart failure (CHF)
울혈심장기능상실	congestive heart failure (CHF)
원격의료	telemedicine
원내폐렴	hospital-acquired pneumonia (HAP)
원발다음다갈증	primary polydipsia
원발알도스테론증	primary aldosteronism
원발자연기흉	primary spontaneous pneumothorax
원숭이마마	monkeypox

원심-	efferent
원위곡세관	distal convoluted tubule
원위네프론	distal nephron
원위신세관산증	distal renal tubular acidosis
원위콩팥단위	distal nephron
원위콩팥요세관산증	distal renal tubular acidosis
원인	etiology
원인불명	unknown cause
원인불명폐혈철소증	idiopathic pulmonary hemosiderosis
원충감염	protozoan infection
원형질	plasma
월프-파킨슨-화이트증후군	WPW (Wolff-Parkinson-White) syndrome
웨스터마크 징후	Westermark sign
웨스턴블럿트시험	Western blot test
웨스트나일 바이러스	West Nile virus
위기	crisis
위내 잔류량(위 잔류량)	gastric residual volume
위내용물	gastric content
위대정맥	superior vena cava (SVC)
위대정맥증후군	superior vena cava syndrome
위마비	gastroparesis
위배출시간	gastric emptying
위산흡인	gastric acid aspiration
위상	phase

위상변수	phase variable
위소장염	gastroenteritis
위식도역류	gastroesophageal reflux
위암	stomach cancer
위액흡인	gastric fluid aspiration
위약	weakness
위장간막동맥증후군	superior mesenteric artery syndrome
위장관 출혈	gastrointestinal bleeding
위장관계	gastrointestinal system
위장관계 위축	gastrointestinal tract atrophy
위장관세척	gastrointestinal lavage
위장관오염제거	gastrointestinal decontamination
위장염	gastroenteritis
위점막내산도	gastric intramucosal pH (pHi)
위창자간막동맥	superior mesenteric artery
위창자간막동맥증후군	superior mesenteric artery syndrome
위창자염	gastroenteritis
위축	atrophy
위팔동맥	brachial artery
위팔동맥삽관술	brachial artery cannulation
위험	hazard
위험(도)	risk
위험공간	danger space
위험인자	risk factor

위험취약성분석	hazard vulnerability analysis
윌리암스 증후군	Williams syndrome
윌슨병	Wilson's disease
유기인산염	organophosphate
유기인산염살충제중독	organophosphate insecticide intoxication
유기인제유발지연신경증	organophosphate-induced delayed neuropathy
유기화합물	organic compound
유도자	introducer
유도철사	guide wire
유도침	introducer
유동	flow
유두종	Papilloma
유량	flow, flow rate
유량관	flow tube
유량기	flow phase
유량비동기	flow asynchrony
유량용량곡선	flow volume curve
유리 칼슘	free calcium
유리삼요오드티로닌 지수	free triiodothyronine index
유리섬유	fiberoptic fiber
유리지방산	free fatty acid
유리질막	hyaline membrane
유리질막병	hyaline membrane disease
유리질막형성	hyaline membrane formation

유문협착	pyloric stenosis
유미심막(증)	chylopericardium
유미흉	chylothorax
유발아산화질소합성효소	inducible nitric oxide synthase
유발역치	triggering threshold
유발요인	trigger factor
유발전위	evoked potentials
유발폐활량측정법	incentive spirometry
유발활동	triggered activity
유방암	breast cancer
유병률	prevalence
유사아나필락시스(초과민)반응	anaphylactoid reaction
유산염	lactate
유속	flow rate, flow velocity
유입	entrainment
유전-	hereditary
유전과당못견딤(증)	hereditary fructose intolerance
유전요인	hereditary factor
유지	retention
유착소장폐쇄	adhesive small bowel obstruction
유착태반	placenta accreta
유출	effluent
유출액	effluent
유통	distribution

유해흡입물질	noxious inhalant material
유해흡입제	noxious inhalant
유화	lactescence
유효순환용적	effective circulating volume
육아조직	granulation tissue
육아종	granuloma
윤상갑상연골절개술	cricothyroidotomy
율동장애	dysrhythmias
융기	bulla
융합박동	fusion beat
으깸손상증후군	crush injury syndrome
은폐전도	concealed conduction
음극	cathode
음성되먹임	negative feedback
음성질소평형	negative nitrogen balance
음압	negative pressure
음압상처치료봉합장치	negative pressure wound care closure device
음압폐부종	negative pressure pulmonary edema
음압환기기	negative pressure ventilator
음영	density
음이온	anions
음이온차이	anion gap
응고	coagulation
응고병(증)	coagulopathy

응고-섬유소용해계	coagulation-fibrinolysis system
응고연쇄반응	coagulation cascade
응고인자	coagulation factor
응고장애	coagulation disorder
응고체계	coagulation system
응고항진성	hypercoagulability
응고효소음성 포도상구균	coagulase-negative staphylococci (CNS)
응급	emergency
응급수술	emergency operation
응급실	emergency room
응급의료	emergency care
응급처치	emergency care
응력	stress
의료종사자	healthcare workers
의무기록	medical record
의사결정	decision making
의식	consciousness
의식소실	loss of consciousness
의식장애	consciousness disturbance
의인공기가슴증(기흉)	iatrogenic pneumothorax
의인성고인산혈증	iatrogenic hyperphosphatemia
의인성영아고칼륨혈증	idiopathic infantile hypercalcemia
의인성폐동맥고혈압	idiopathic pulmonary arterial hypertension
의인성폐렴증후군	idiopathic pneumonia syndrome

의학연구회통합 지수	medical research council (MRC) sum score
의학적 중증도지수	medical severity index
이뇨	diuretic, diuresis
이뇨제	diuretic
이동	migration
이력현상	hysteresis
이산화질소	nitrogen dioxide (N_2O)
이산화탄소	carbon dioxide (CO_2)
이산화탄소 분압	PCO_2 (carbon dioxide partial pressure), partial pressure of carbon dioxide
이산화탄소생성	CO_2 production
이산화탄소소진	carbon dioxide exhaustion (CO_2 exhaustion)
이산화황	sulfur dioxide
이상	abnormal, aberrancy
이상기도양압(법)	biphasic positive airway pressure
이상성파형	biphasic waveform
이상체중	ideal body weight
이상폐정맥연결	anomalous pulmonary venous connection
이설근	genioglossus muscle
이송	transfer
이식(술)	transplantation
이식편대숙주병	graft-versus-host disease (GVHD)
이식편부전	graft dysfunction, Primary graft dysfunction
이식후림프세포증식병	posttransplant lymphoproliferative disorder

이온통로병증	channelopathies
이완기(상)	relaxation phase
이용	utilization
이음부부정맥	junctional arrhythmia
이자염	pancreatitis
이주	migration
이중 보호막 솔질	protected specimen brushing
이중내강기관내관	double lumen endotracheal tube
이중대동맥궁	double aortic arch
이중맹검검사	double blind test
이중방아쇠	double-triggering
이중방울징후	double bubble sign
이중분광지수	bispectral index (BIS)
이중유발(촉발)자	double-triggering
이질	dysentery
이질산이소소르바이드	isosorbide dinitrate
이차산화	secondary oxidation
이차성고알도스테론증	secondary hyperaldosteronism
이차성고암모니아혈증	secondary hyperammonemia
이차성복막염	secondary peritonitis
이차성복부구획증후군	secondary abdominal cornpartment syndrome
이차성부갑성성기능저하증	secondary hypoparathyroidism
이차성부신기능부전	secondary adrenal insufficiency
이차성세균성복막염	secondary bacterial peritonitis

이차조사	secondary survey
이층양압환기(법)	bilevel positive pressure ventilation
이탈	weaning
이해관계충돌	conflict of interest
이행	transmigration
이형혈색소	dyshemoglobin
이화단계	catabolic phase
이화작용	catabolism
이환율	morbidity
익사	drowning
익사직전	near drowning
인	phosphorus
인간메타뉴모바이러스	human metapneumovirus
인공기도	artificial airway
인공판막	prosthetic valves
인공호흡	artificial respiration
인공호흡기 묶음	ventilator bundle
인단백질	phosphoprotein
인두감염	pharyngeal infections
인두기능장애	pharyngeal dysfunction
인두뒤공간	retropharyngeal space
인두염	pharyngitis
인산염	phosphate
인산이수소칼륨	potassium phosphate

인슐린	insulin
인슐린내성(저항)	insulin resistance
인식	awareness
인위재해	man-made disasters
인자	factor
인지기능장애	cognitive dysfunction
인지장애	cognitive disorder, cognitive impairment
인지재활	cognitive rehabilitation
인지질	phospholipid
인터루킨	interleukin
인터페론	interferon
인플루엔자	flu
인플루엔자균	haemophilus influenzae
인플루엔자백신	influenza vaccine
인형눈반사	doll's eye reflex
인형눈조작	doll's-eyes maneuver
인후	throat
일반중환자실	general intensive care unit
일방판막	one-way valve
일방판막기전	one-way valve mechanism
일산화질소 공여자	nitric oxide donors
일산화질소합성억제제	nitric oxide synthase inhibitors
일산화탄소	carbon monoxide
일산화탄소중독	carbon monoxide intoxication (poisoning)

일산화탄소측정기	CO-oximeter
일산화탄소혈색소	carboxyhemoglobin (COHb)
일에너지 섭취	daily energy intake
일일다학제회진	daily interdisciplinary round
일차성경피적관상동맥 중재술	primary percutaneous coronary intervention (PCI)
일차성고암모니아혈증	primary hyperammonemia
일차성복강구획증후군	primary abdominal compartment syndrome
일차성부갑상선항진증	primary hypoparathyroidism
일차성부신기능저하증	primary adrenal insufficiency
일차성폐고혈압	primary pulmonary hypertension
일차성폭발 손상	primary blast injury
일차이식편부전	primary graft failure
일차평가	primary survey
일초간 강제날숨폐활량	forced expiratory volume in 1 second (FEV1)
일회박출량	stroke volume
일회호흡량	tidal volume
임상-	clinical
임상경과	clinical course
임상소견	clinical manifestation
임상연구	clinical study
임상적 무익	medical futility
임상적 의사결정	medical decision making
임상증상	clinical manifestation
임상폐감염점수	clinical pulmonary infection score (CPIS)

임시박동조율기	temporary pacemaker
임신	pregnancy
임신가능징후	probable sign
임신중독증	preeclampsia
임신증독증	toxemia
임피던스	impedance
입	mouth
입과입인공호흡(법)	mouth-to-mouth breathing
입과코인공호흡(법)	mouth-to-nose breathing
입구	inlet
입기관삽관	orotracheal intubation
입맛없음	anorexia
입속압	intraoral pressure, pmouth
입안	mouth
입원	admission
입위관	orogastric tube
입인두	oropharynx
입인두-	oropharyngeal
입인두물질	oropharyngeal material
입자	particle
잇몸비대	gum hypertrophy

자가면역 혈소판감소증	autoimmune thrombocytopenia (AITP)
자가면역간염	autoimmune hepatitis
자가면역뇌염	autoimmune encephalitis
자가면역반응	autoimmune response
자가면역부갑상선기능저하증	autoimmune hypoparathyroidism
자가면역여러샘내분비병증	autoimmune polyglandular endocrinopathy
자가면역질환	autoimmune disease
자가반응심장막염	autoreactive pericarditis
자가분비	autocrine
자가조절경막외진통	patient controlled epidural analgesia (PCEA)
자가조절진통	patient controlled analgesia (PCA)
자가포식	autophagocytosis
자가호기말양압	auto-PEEP
자가호흡	spontaneous respiration
자간	eclampsia
자궁근육무력(증)	uterine atony
자궁근육수축	myometrial contraction
자궁이완(증)	uterine atony
자궁절제(술)	hysterectomy

자극	irritant, stimulation, stimulus
자극성흡입제	irritating inhalant
자극수용체	irritant receptor
자극제	irritant
자극치료	stimulation
자기공명분광법	magnetic resonance spectroscopy (MRS)
자기공명영상	magnetic resonance imaging (MRI)
자동능	automaticity
자동외부제세동기	automated external defibrillation (AED)
자동유발	auto-triggering
자동조절	autoregulation
자동조절곡선	autoregulatory curve
자리옮김	translocation
자반(증)	purpura
자발공기가슴증(기흉)	spontaneous pneumothorax
자발성	automaticity
자발성복막염	spontaneous bacterial peritonitis
자발성빈맥	automatic tachycardia
자발성호흡시험	spontaneous breathing trials
자발자가호흡	spontaneous self-respiration
자발호흡	spontaneous breathing
자색반(증)	purpura
자연살해세포	natural killer (NK) cell
자연재해	natural disaster

자연항응고인자	natural anticoagulation factor
자원분배	resource allocation
자율기능장애	autonomic dysfunction
자율성	autonomy
자율신경	autonomic nerve
자율신경과다활동	autonomic hyperactivity
자율신경반사항진	autonomic hyperreflexia
자율신경발작	autonomic storm
자전거 에르고미터	cycle ergonometer
자쪽피부정맥	basilic vein
작동압력	working pressure
작업요법	occupation therapy
작용제	agonist
작은창자	small intestine
잔기량	residual volume (RV)
잔떨림제거	defibrillation
잔떨림제거기	defibrillator
잔류	retention
잔류사망태아	retained dead fetus
잔류태반 혹은 양막	retained placenta or amnion
잘록창자암	colon cancer
잘록창자염	colitis
잘룩튜브	corrugated tube
잠복결핵감염	latent tuberculosis infection (LTBI)

잠복기	latent phase
잠복전도	concealed conduction
잠재기	latent phase
장 및 장간막 이식	intestinal and multivisceral transplantation
장간막 허혈	mesenteric ischemia
장관신경계	enteric nervous system
장관영양	enteral nutrition
장구균	enterococcus
장기	organ
장기 구득 기관	organ procurement organizations (OPO)
장기기증	organ donation
장기능상실	intestinal failure
장기부전	organ failure
장기허혈	organic ischemia
장내세균	enterobacteria
장부전	intestinal failure
장운동	bowel motility
장축	long axis
장치	unit, equipment
장티푸스	typhoid fever
장폐색	bowel obstruction
장폐색증	ileus
장폐쇄(증)	intestinal atresia
장피부누공	enterocutaneous fistula

장허혈	intestinal ischemia
잦은숨	hyperventilation
재결합활성인자 VII	recombinant activated factor VII
재관류	reperfusion
재관류부정맥	reperfusion arrhythmia
재관류손상	reperfusion injury
재관류치료	reperfusion therapy
재귀열	relapsing fever
재난계획	disaster planning
재발	recurrence
재발률	recurrence rate
재발열	relapsing fever
재발요로감염	recurrent urinary tract infection
재분극	repolarization
재분포	redistribution
재분포기	redistribution phase
재생	regeneration
재섭취	reuptake
재앙	disaster
재입빠른맥	reentry tachycardia
재증류수	double distilled water
재채기	sneeze
재출혈	rebleeding
재팽창폐부종	reexpansion pulmonary edema

재해	hazard, casualty, disaster
재호흡	rebreathing
재호흡장치	rebreathing system
재활	rehabilitation
재흡수	reabsorption, reuptake
저감마글로불린혈증	hypogammaglobulinemia
저굴곡점	lower inflection point
저나트륨혈증	hyponatremia
저등급교종	low-grade glioma
저레닌성저알도스테론증	hyporeninemic hypoaldosteronism
저마그네슘혈증	hypomagnesemia
저밀도지질단백질	low density lipoprotein (LDL)
저분자량헤파린	low molecular weight heparin (LMWH)
저산소성간대성근경련 간질중첩증	postanoxic myoclonic status epilepticus
저산소증	hypoxia
저산소폐혈관수축	hypoxic pulmonary vasoconstriction (HPV)
저산소혈증	hypoxemia
저산소혈증호흡기능상실	hypoxemic respiratory failure
저산소혈증호흡부전	hypoxemic respiratory failure
저선량	low dose
저섬유소원혈증	hypofibrinogenemia
저알도스테론증	hypoaldosteronism
저알부민혈증	hypoalbuminemia
저압	hypotension

저용량	low dose
저울	scale
저위험	low risk
저유량계	low-flow system
저인산혈증	hypophosphatemia
저장기부착 산소마스크	oxygen mask with reservoir
저장기용량	reservoir capacity
저장소	reservoir
저장액	hypotonic solution
저장장치	reservoir system
저체온	hypothermia
저칼륨혈증	hypokalemia
저칼슘혈증	hypocalcemia
저탄산혈증	hypocapnia
저탄산혈증호흡기능상실(부전)	hypocapnic respiratory failure
저항	resistance
저항력	resistibility
저항성	resistibility
저혈당(증)	hypoglycemia
저혈량쇼크	hypovolemic shock
저혈량증	hypovolemia
저혈소판증	thrombocytopenia, thrombopenia
저혈압	hypotension
저혈압증	hypotension

저환기	hypoventilation
저활동섬망	hypoactive delirium
적격	competence
적극적안락사	voluntary euthanasia
적외선흡수	infrared light absorption
적용호기말양압	extrinsic positive end expiratory pressure (PEEP)
적응	adaptation
적응보조환기	adaptive-support ventilation (ASV)
적응증	indication
적임	competence
적혈구	erythrocyte
적혈구수혈	red blood cell transfusion
적혈구용적률	hematocrit
적혈구증가증	polycythemia
적혈구포식성림프조직구증식증	hemophagocytic lymphohistiocytosis
적혈구혈청학	red blood cell serology
전격간기능상실	fulminant hepatic failure
전격심근염	fulminant myocarditis
전격자반	purpura fulminans
전경골동맥	anterior tibial artery
전기 비동기화	electrical dyssynchrony
전기 임피던스 영상법	electrical impedence tomography (EIT)
전기기계해리	electromechanical dissociation
전기생리학	electrophysiology

전기생리학검사	electrical physiologic study
전기생체 저항(임피던스)	electrical bioimpedance
전기손상	electrical injury/burn
전기쇼크	electric shock
전기지짐(술)	electrocautery
전기지짐기	electrocautery
전단손상	shearing injury
전달	delivery
전달체계	delivery system
전도	convection
전도계	conduction system
전도도	conductance
전립샘암	prostate cancer
전립샘염	prostatitis
전립선 농양	prostatic abscess
전문소생술	advanced life support
전문심장소생술	advanced cardiac life support
전문외상소생술	advanced trauma life support
전방접근법	anterior approach
전부하	preload
전분	starch
전산화단층촬영(술)	computed tomography (CT)
전신 근력약화	generalized muscle weakness
전신경련성경련중첩증	generalized convulsive status epilepticus

전신마취	general anesthesia
전신발작	generalized seizures
전신부종	generalized edema
전신상태	general condition
전신성	systemic
전신염증반응	generalized inflammatory reaction, systemic inflammatory reaction
전신염증반응증후군	systemic inflammatory response syndrome (SIRS)
전신운동발작	generalized motor seizures
전신적독성제	systemic toxin
전신정맥압	systemic venous pressure
전신혈관저항	systemic vascular resistance (SVR)
전신혈관저항지수	systemic vascular resistance index (SVRI)
전신홍반루푸스	systemic lupus erythematosus (SLE)
전액와선	anterior axillary line
전완근막절개술	antebrachial fasciotomy
전위	translocation
전율	shivering
전이	metastasis
전이암	metastatic cancer
전자기간섭	electromagnetic interference (EMI)
전자전달	electron transport
전자현미경	electron microscope
전자환원	electron reduction

전정안반사	vestibular-ocular reflex
전주정맥	antecubital vein
전체가스유량	total gas flow
전체기도저항	total airway resistance
전초사건	sentinel event
전파	propagation
전폐용량	total lung capacity (TLC)
전해질	electrolyte
전혈	whole blood
전흉부강타법	precordial thumb
절대단락	absolute shunt
점막	mucosa
점막병변	mucosal lesion
점막병터	mucosal lesion
점막부종	mucosal edema
점막이산화탄소분압	mucosal PCO_2
점막층	mucosa
점수	score
점액부종 혼수	myxedema coma
점액분비	mucous secretion
점액샘	mucous gland
점액선	mucous gland
점액섬모청소	mucociliary clearance
점액섬모청소율	mucociliary clearance

점액활성제 mucoactive agents

접지 grounding

접지누전회로차단기 ground fault circuit interrupter (GFCI)

접지장치 grounding system

접촉두드러기 contact urticaria

접촉피부염 contact dermatitis

접합 synthesis

접합부부정맥 junctional arrhythmia

정-동맥 체외형 막형산화법 venoarterial extracorporeal membrane oxygenation (VA-ECMO)

정량식 흡입기 metered-dose inhaler (MDI)

정량적전산화단층촬영법 quantitative computed tomography

정맥- venous

정맥경유심박동조율 transvenous cardiac pacing

정맥굴염 sinusitis

정맥내주사 intravenous (IV) injection

정맥동염 sinusitis

정맥류 출혈 variceal hemorrhage

정맥산소측정법 venous oximetry

정맥수액 parenteral fluid

정맥순환 venous circulation

정맥압 venous pressure

정맥약물 parenteral medication

정맥영양 parenteral nutrition

정맥요로조영(술)	intravenous urography
정맥유입	venous inflow
정맥유출	venous outflow
정맥절개(술)	phlebotomy
정맥천자	venipuncture
정맥초음파	venous ultrasonography
정맥피	venous blood
정맥혈산소포화도	venous oxygen saturation (SvO_2)
정맥혈액	venous blood
정맥혈전	venous thrombosis
정맥혈전색전증	venous thromboembolism
정보처리	information processing
정복(술)	reduction
정상	normal
정상갑상선질환증후군	sick euthyroid syndrome
정상상태	steady state
정상이산화탄소혈증	eucapnia
정상혈당	euglycemia
정상호흡	eucapnia
정성	quality
정수압	hydrostatic pressure
정신성다음증	psychogenic polydipisa
정신성혼수	psychogenic coma
정신이상	psychiatric disorder

정신질환	psychiatric disorder
정적상태	static state
정적폐유순도	static lung compliance
정적폐탄성	static lung compliance
정적허파탄성	static lung compliance
정점지속	plateau
정-정맥체외형막형산화법	venovenous extracorporeal membrane oxygenation (VV-ECMO)
정제수	purified water
정족수감지효과	quorum-sensing effect
정중신경	median nerve
정중흉골절개술	median sternotomy
정질액	crystalloid fluid, crystalloid solution
정체	retention, stasis
젖뗌	weaning
젖산	lactic acid
젖산산증	lactic acidosis
젖산염	lactate
제1형 폐포상피	type I alveolar epithelium
제2형 폐포상피	type II alveolar epithelium
제3심음	third heart sound
제거	clearance, delivery
제거기	elimination phase
제거율	clearance

제공자특이항체	donor-specific antibodies
제길이수축기	isometric contraction phase
제뇌경축	decerebrate rigidity
제뇌자세	decerebrate posture
제부피수축기	isovolumetric contraction phase
제어장치	control system
제한	restriction
제한(성)질환	restrictive disease
제한(성)폐질한	restrictive lung disease, restrictive pulmonary disease
제한심근병(증)	restrictive cardiomyopathy
제한심장근육병(증)	restrictive cardiomyopathy
제한적 동종이식 증후군	restrictive allograft syndrome
제한환기부전	restrictive ventilatory failure
젤라틴	gelatin
조각	segment
조각적혈구	fragmented erythrocyte
조기-	early
조기가동화	early mobilization
조기목표지향치료	early goal directed therapy (EGDT)
조기발견기간바이어스	lead time bias
조기보행	early ambulation
조기심실수축	premature ventricular contraction, ventricular premature contraction (VPC)
조기재분극	early repolarization

조기재분극증후군	early repolarization syndrome
조기종결	premature termination
조류결핵균	mycobacterium avium intracellulare (MAC)
조리개	diaphragm
조사	exposure, survey
조사량	dosage
조사선량	exposure
조산아	premature infant
조영제	contrast medium
조영제-유발 급성신장손상	contrast-induced acute kidney injury
조영제-유발 신장병증	contrast-induced nephropathy
조작	operation
조절필수환기	controlled mandatory ventilation (CMV)
조직	structure, tissue
조직판막	tissue valve
조직관류	tissue perfusion
조직산소화	tissue oxygenation
조직손상	tissue damage
조직인자	tissue factor
조직인자경로억제제	tissue factor pathway inhibitor (TFPI)
조직저산소증	tissue hypoxia
조직플라스미노겐활성제	tissue plasminogen activator
조직플라즈미노겐활성효소	tissue plasminogen kinase
조직항산화능	tissue antioxidant capacity

조직호흡	tissue respiration
조치	indication
조합	combination
조혈모세포이식	hematopoietic stem cell transplantation
조혈세포이식	hematopoietic cell transplantation
조혈줄기세포이식	hematopoietic stem cell transplantation
족배동맥	dorsalis pedis artery
족배동맥관삽입(술)	dorsalis pedis artery cannulation
졸림	somnolence
좁쌀결핵	miliary tuberculosis
좁은QRS복합 빈맥	narrow-QRS-complex tachycardia
종격동기종	pneumomediastinum
종격동섬유증	mediastinal fibrosis
종격염	mediastinitis
종말기	terminal phase
종말기관질환	end-organ disease
종말세기관지	terminal bronchiole
종양	tumor
종양괴사인자	tumor necrosis factor
종양성심막염	neoplastic pericarditis
종양용해증후군	tumor lysis syndrome
좌(주)기관지	left main bronchus
좌각차단	left bundle branch block (LBBB)
좌심방	left atrium

좌심방귀 left atrial appendage

좌심방압력 left atrial pressure

좌심부전 left heart failure

좌심실 left ventricle (LV)

좌심실 박출률 LV ejection fraction

좌심실 박출분율 LV ejection fraction

좌심실기능 left ventricular function

좌심실기능장애 left ventricular dysfunction

좌심실꼭대기풍선확장 left ventricular apical ballooning

좌심실박출작업지수 left ventricular stroke work index

좌심실벽운동장애 left ventricular wall motion abnormality

좌심실보조기 left ventricular assist device (LVAD)

좌심실부하 left ventricular load

좌심실비대 left ventricular hypertrophy

좌심실수축기능 left ventricular contraction function, left ventricular systolic function

좌심실수축기압 left ventricular systolic pressure

좌심실수축력 left ventricular contractility

좌심실압 left ventricular pressure

좌심실유출로 left ventricular outflow tract

좌심실이완기능 left ventricular diastolic function

좌심실이완기말면적 left venσicular end-diastolic area

좌심실전부하 left ventricular preload

좌심실충만압 left ventricular filling pressure

좌심실후부하	left ventricular afterload
좌우션트	left-to-right shunts
좌위호흡	orthopnea
좌전하행관상동맥	left anterior descending coronary artery
주변-	peripheral
주변분비	paracrine
주산기고혈압	gestational hypertension
주위	myelination
주입	insertion
주입펌프	infusion pump
주폐포자충	pneumocystis carinii/jiroveci
주폐포자충폐렴	pneumocystis pneumonia
주혈흡충증	schistosomiasis
죽상경화증	atherosclerosis
죽상경화판	atherosclerotic plaque
죽상색전형성	atheromatous embolization
죽음	death
죽종색전증	atheroembolization
준중환자실	step down unit
줄기	stem
줄기세포	stem cell
중간(형)증후군	intermediate syndrome
중간대뇌동맥	middle cerebral artery
중간엽 줄기세포	mesenchymal stem cell

중단	abstinence
중대뇌동맥	middle cerebral artery
중독	poisoning
중독-	toxic
중동호흡기증후군(메르스)	middle east respiratory syndrome (MERS)
중등도	moderate
중량몰삼투압농도	osmolality
중력	gravity
중력의존부위	gravity dependant zone
중성구	neutrophil
중성구감소(증)	neutropenia
중성지방	triglyceride
중쇠뼈	axis
중심 구획	central compartment
중심뇌이탈	central herniation
중심성뇌교수초용해증	central pontine myelinolysis
중심정맥관관련혈류감염	central line associated bloodstream infections (CLABSI)
중심정맥압	central venous pressure (CVP)
중심정맥카테터	central venous catheter
중심정맥혈산소포화도	central venous oxygen saturation ($ScvO_2$)
중심척수증후군	central cord syndrome
중심청색증	central cyanosis
중재시술	interventional procedure

중재적 영상의학	interventional radiology
중증 질환	critical illness
중증근(육)무력증	myasthenia gravis
중증급성호흡증후군	severe acute respiratory syndrome (SARS)
중증도	severity
중증도분류	triage
중증열성혈소판감소증후군	severe fever with thrombocytopenia syndrome (SFTS)
중증외상	major trauma
중증질환관련장마비	critical illness-related colonic ileus
중증질환근육병증	critical illness myopathy (CIM)
중증질환다발신경병증	critical illness polyneuropathy (CIP)
중증질환신경근육병증	critical illness neuromyopathy
중증출혈	massive hemorrhage
중증패혈증	severe sepsis
중추성요붕증	central diabetes insipidus
중추성호흡구동	central respiratory drive
중추성환기구동	central ventilatory drive
중추신경계	central nervous system
중추신경과다호흡	central neurogenic hyperventilation
중탄산염	bicarbonate
중탄산염나트륨	sodium bicarbonate ($NaHCO_3$)
중합체-증기열	polymer-fume fever
중환자	critically ill patient
중환자 치료 교육	critical care teaching

중환자실	intensive care unit (ICU)
중환자전담전문의	intensivist
쥐물음열	rat bite fever
증가	increase
증거바탕의학	evidence-based medicine
증거바탕진료	evidence-based practice
증거중심의학	evidence-based medicine
증거중심진료	evidence-based practice
증기	fume
증상	symptom
증식	proliferation
증식기	proliferative stage
증식성변화	proliferative change
증후군	syndrome
지각장애	perceptional dysfunction
지라	spleen
지라비대	splenomegaly
지름	shunt, diameter
지름길	shunt
지름길효과	shunt effect
지방	fat
지방변증	steatorrhea
지방분해	lipolysis, steatolysis
지방뺀체중	lean body mass

지방산	fatty acid
지방산 결합 단백질	fatty acid-binding proteins
지방색전증	fat embolism
지방색전증후군	fat embolism syndrome
지방세포	lipocyte
지방조직	adipose tissue
지속기도양압	continuous positive airway pressure (CPAP)
지속동정맥혈액여과법	continuous arteriovenous hemofiltration (CAVH)
지속동정맥혈액투석법	continuous arteriovenous hemodialysis (CAVHD)
지속분출장치	continuous flush device
지속소생술	prolonged life support
지속외래복막투석	continous ambulatory peritoneal dialysis
지속적복부음압	continuous negative abdominal pressure (CNAP)
지속정맥주입	continuous intravenous infusion
지속정정맥혈액여과법	continuous venovenous hemofiltration (CVVH)
지속정정맥혈액투석법	continuous venovenous hemodialysis (CVVHD)
지속주입	continuous infusion
지속흡식호흡	apneustic breathing
지수	index
지시	indication
지시계	indicator
지시약	indicator
지역사회획득요로감염	community-acquired urinary tract infection
지역사회획득폐렴	community-acquired pneumonia

지연	delay
지원	support
지주막하-	subarachnoid
지지	support
지지물	support
지질	lipid
지질다당질	lipopolysaccharide (LPS)
지질매개물질	lipid-mediated substance
지질분해	lipolysis, steatolysis
지질분해효소	lipase
지질테이코산	lipoteichoic acid
지출, 비용	expenditure
지카바이러스	Zika virus
지텔만 증후군	Gitelman syndrome
지표	indicator, index
지혈	hemostasis
지혈기능상실	hemostatic failure
지혈기전	hemostatic mechanism
직경	diameter
직류심장율동전환	direct-current cardioversion
직장관	rectal tube
직장출혈	rectal bleeding
직접트롬빈억제제	direct thrombin inhibitors
직접후두경	direct laryngoscopy

진균	fungi
진균감염	mycotic infection, fungal infection
진균부비동염	fungal sinusitis
진균심낭염	fungal pericarditis
진균종	mycetoma
진단	diagnosis
진단기준	diagnostic criteria
진단복막세척	diagnostic peritoneal lavage (DPL)
진단적검사	diagnostic examination
진드기매개뇌염	tickborne encephalitis
진료-	clinical
진전섬망	delirium tremens
진정	sedation
진정-	sedative
진정제	sedative
진통	analgesia
진통제병용진정	analgosedation
진해제	antitussive
진행(성)간질환	advanced liver disease
진행근시	progressive myopia
진행뇌병증	progressive encephalopathy
진행다초점백(색)질뇌병(증)	progressive multifocal leukoencephalopathy
진행파종히스토플라스마증	progressive disseminated histoplasmosis
질	quality

질량분광법	mass spectrometry
질병	disease
질산염	nitrate
질소	nitrogen (N_2)
질소과잉배설	azotorrhea
질소균형	nitrogen balance
질소분압	nitrogen partial pressure
질소혈증	azotemia
질소화합물	nitrogen compound
질식	asphyxia
질식제	asphyxiant
질향상	quality improvement
질환	disease
집게손가락	index
집락형성	colonization
집락화	colonization
집중	concentration
집중-	intensive
집중인슐린치료	intensive insulin therapy
집중치료 후 근육쇠약	ICU-acquired weakness (ICUAW)
집중치료실	intensive care unit (ICU)
집충치료후증후군	Post Intensive Care Syndrome (PICS)
짓무름	erosion
징조	indication

징후	sign
짧은창자증후군	short bowel syndrome
찌운동안구움직임	bobbing eye movement
찢김	laceration

차단	block
차단마취	block
차단제	blocker
차폐(물)	block
착란	confusion
참사	disaster
창자막힘	bowel obstruction
창자막힘증	ileus
창자알균	enterococcus
창자폐쇄(증)	intestinal atresia
창자피부샛길	enterocutaneous fistula
채널병	channelopathies
처리	processing
처치	treatment
척골동맥	ulnar artery
척골측피부정맥	basilic vein
척도	scale
척수감염	spinal infections
척수경막주변농양	spinal paradural abscess

척수내혈종	intramedullary hemorrhage
척수손상	spinal cord injury
척수쇼크	spinal shock
척수염	myelitis
척주	spine
척추	spine
척추동맥	vertebral artery
척추앞공간	prevertebral space
척추염	spondylitis
척추원뿔증후군	conus medullaris syndrome
척추전공간	prevertebral space
천공태반	placenta percreta
천식발작	asthmatic crisis
천식악화	asthma exacerbation
천식위기	asthmatic crisis
천식지속상태	status asthmaticus
천식지속증	status asthmaticus
천연두	smallpox
천자(술)	paracentesis
천측두동맥	superficial temporal artery
청각유발전위	auditory evoked potentials (AEPs)
청색병변	cyanotic lesion
청색증	cyanosis
청색증병터	cyanotic lesion

청소	clearance
청소율	clearance
체	body
체계적	systemic
체성감각유발전위검사	somatosensory evoked potentials (SEP)
체수분	body water
체순환	systemic circulation
체액	fluid, body fluid, body water, humoral
체액물질	humoral substance
체액변위	fluid shift
체액요인	humoral factor
체액인자	humoral factor
체온	body temperature
체온저하	hypothermia
체외가스교환	extracorporeal gas exchange
체외막산소공급	extracorporeal membrane oxygenation (ECMO)
체외막산소화장치를 이용한 심폐소생술	extracorporeal cardiopulmonary resuscitation
체외막형 이산화탄소 제거	extracorporeal carbon dioxide removal ($ECCO_2R$)
체외소생술	extracorporeal life support
체외순환	extracorporeal circulation
체외순환 없는 관상동맥우회술	Off Pump Coronary Artery Bypass (OPCAB)
체위배액(술)	postural drainage
체위배출(술)	postural drainage

체인-스토크스호흡	Cheyne-Stokes respiration
체적변동기록(법)	plethysmography
체중감소	weight loss
초과산화물	superoxide (O_2^-)
초과산화물디스뮤타아제	superoxide dismutase (SOD)
초과산화물불균등화효소	superoxide dismutase (SOD)
초미세여과	ultrafiltration
초음파	ultrasound
초음파촬영(술)	ultrasound, ultrasonography
초점형심초음파진찰	focused cardiac ultrasound exam
초조	agitation
초회 통과 효과	first-pass effect
촉진기	acceleration phase
총담관손상	common bile duct injury
총담관점막	common bile duct mucosa
총담관조루술	choledochostomy
총상	bullet wound, gunshot wounds
총에너지소비량	total energy expenditure
총체액량	total body water
총폐용적	total lung capacity (TLC)
최고기도압	peak airway pressure
최고날숨유속	peak expiratory flow rate
최고들숨속도	peak inspiratory flow rate
최고호기유속	peak expiratory flow rate, peak inspiratory flow rate

최고흡기압	peak inspiratory pressure
최대멸균차단법	maximal sterile barrier precaution
최대압력보조	maximal pressure support
최대팽창압	maximal expansion pressure
최대혈청농도	maximal serum concentration (Cmax)
최대호기압	maximum expiratory pressure
최소억제농도	minimal inhibitory concentration (MIC)
추정 정상치	estimated normal value
축	axis
축삭변성	axonal degeneration
축소(술)	reduction
축척	scale
축추	axis
출력	output
출혈	hemorrhage
출혈부위	bleeding site
출혈성수포	hemorrhagic vesicle
출혈쇼크	hemorrhagic shock
출혈시간	bleeding time
출혈열신증후군	hemorrhagic fever with renal syndrome (HFRS)
출혈열콩팥증후군	hemorrhagic fever with renal syndrome (HFRS)
출혈점	petechia
충격	shock
충격완화	damping

충혈	congestion
췌장분비트립신억제제	pancreatic secretory trypsin inhibitor (PSTI)
췌장암	pancreatic cancer
췌장염	pancreatitis
츠츠가무시병	scrub typhus
측벽	lateral wall
측와위	lateral decubitus
측정	measurement
층	integument, layer
층판류	laminar flow
치료	treatment
치료약물농도감시	therapeutic drug monitoring (TDM)
치료유보	withholding
치료중단	withdrawal
치명률	fatality rate
치명적-	fatal
치사-	fatal
치사 삼징후	lethal triad
치사성	mortality
치사율	lethality
치유과정	healing process
친화력	affinity
침	needle
침습	infiltration

침습-	invasive
침습성아스페르질루스증	invasive aspergillosis
침윤	infiltration
침전	deposition
침착	deposition

카리온병	oroya fever
카바페넴 분해효소	carbapenemase
카탈라아제	catalase
카테콜라민	catecholamine
카테콜라민성다형심실빈맥	catecholaminergic polymorphic ventricular tachycardia
카테터관련감염	catheter-related infection
카테터관련균혈증	catheter-related bacteremia
카테터관련혈류감염	catheter-related bloodstream infection
카테터배양	catheter culture
카테터연관감염	catheter-associated infections
카테터유도혈전용해	catheter-directed thrombolysis
칸디다뇨증	candiduria
칸디다식도염	candida esophagitis
칸디다종	candida spp., candidiasis
칸디다혈증	candidemia
칼로리밀도	caloric density
칼륨	potassium
칼륨통로개방제	potassium channel opener
칼리크레인-키닌계	kallikrein-kinin system

칼슘	calcium
칼슘통로차단제	calcium-channel blocker
칼시뉴린	calcineurin
칼시토닌	calcitonin
칼시트리올	calcitriol
캐논 A파	cannon A wave
캡토프릴	captopril
커니히징후	Kernig's sign
커프	cuff
커프압력	cuff pressure
컬링궤양(스트레스 궤양)	Curling's ulcer
컴퓨터단층촬영(술)	computed tomography (CT)
케토산성저혈당증	ketotic hypoglycemia
케토산증	ketoacidosis
케톤	ketone
케톤체	ketone body
코-	nasal
코곁굴염	sinusitis
코기관내삽관	nasotracheal intubation
코기관튜브	nasotracheal tube
코르티코스테로이드	corticosteroid
코르티코트로핀분비호르몬	corticotropin-releasing hormone (CRH)
코삽관	nasal intubation
코삽입관	nasal cannula

코안	nasal cavity
코염	rhinitis
코위삽관	nasogastric intubation
코위영양관	nasogastric tube
코인두	nasopharynx
코인두 기도	nasopharyngeal airway
코인두강	nasopharyngeal cavity
코카테터	nasal catheter
코티솔	cortisol
코티솔결합글로불린	cortisol-binding globulin
코피	epistaxis
콕사키바이러스 B 유발 심막염	coxsackievirus B pericarditis
콕사키바이러스 B 유발 장염	coxsackievirus B enterovirus
콜라젠침착	collagen deposition
콜레라	cholera
콜레라균	vibrio cholerae
콜레스테롤색전증후군	cholesterol emboliaztion syndrome, cholesterol embolism
콜로이드	colloid
콜로이드용액	colloid fluid
콜린성증상	cholinergic symptom
콜린성증후군	cholinergic syndrome
콜린약	anticholinergic drug
콜린에스터라제 억제제	cholinesterase inhibitors

콜린작동성위기	cholinergic crisis
콤비튜브	combitube
콩팥	kidney
콩팥-	renal
콩팥 근위요세관산증	proximal renal tubular acidosis
콩팥겉질	renal cortex
콩팥교감신경	renal sympathetic nerve
콩팥기능부족	renal insufficiency
콩팥기능상실	renal failure
콩팥기능장애	renal dysfunction
콩팥기원요붕증	nephrogenic diabetes insipidus
콩팥내혈류	intrarenal blood flow
콩팥단위	nephron
콩팥돌증	nephrolithiasis
콩팥동맥	renal artery
콩팥병	kidney disease
콩팥병(증)	nephropathy
콩팥요세관	renal tubule
콩팥요세관산증	renal tubular acidosis
콩팥위샘	adrenal gland
콩팥이식(술)	renal transplantation
콩팥전질소혈증	prerenal azotemia
콩팥정맥압	renal venous pressure
콩팥주위 농양	perirenal abscess

콩팥주위고름집	perinephric abscess
콩팥증후군	acute nephritic syndrome, nephrotic syndrome
콩팥혈관고혈압	renovascular hypertension
콩팥혈류량	renal blood flow
콩팥후질소혈증	postrenal azotemia
쿠싱병	Cushing's disease
퀴니딘	quinidine
크레아티닌	creatinine
크레아티닌청소율	creatinine clearance
크레아틴 키나아제	creatine kinase
크로이츠펠트-야코프병	Creutzfeldt-jacob disease
크롬친화세포종	pheochromocytoma
크림콩고 출혈열	crimean-Congo hemorrhagic fever
크립토코쿠스 뇌막염	cryptococcal meningitis
크립토콕쿠스네오포르만스	cryptococcus neoformans
크립토콕쿠스증	cryptococcosis
크보스테크징후	Chvostek's sign
큰-	macro
큰가슴근	pectoralis major muscle
큰곁정맥	large collateral vein
큰공기집	bulla
큰두렁정맥	greater saphenous vein
큰순환	macrocirculation
큰포식세포	macrophage

클로스트리듐 감염	clostridial infection
클로스트리듐디피실레	clostridium difficile
키니네중독(증)	cinchonism
키닌계	kinin system
킬레이트	chelate

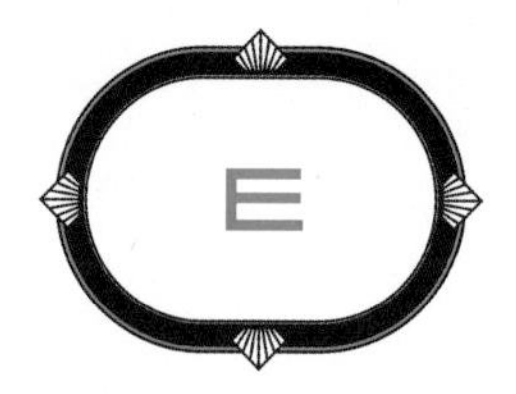

타박상	bruise, contusion
타이로신 키나아제	tyrosine kinase
타이로신활성효소	tyrosine kinase
타코쯔보심근병증	Takotsubo cardiomyopathy
타키필락시스	tachyphylaxis
탄력반동	elastic recoil
탄력반동압	elastic recoil pressure
탄력반발	elastic recoil
탄력성	elasticity
탄력조직	elastic tissue
탄산탈수효소	carbonic anhydrase
탄성	compliance, elasticity
탄성한계	compliance limitation
탄소	carbon
탄수화물	carbohydrate
탄저병	anthrax
탈분극	depolarization
탈분극기	depolarizing phase
탈섬유소증후군	defibrination syndrome

탈수	dehydration
탈진	exhaustion
탈질소화흡수성무기폐	denitrogenation absorption atelectasis
탈피브린증후군	defibrination syndrome
탐색자	probe
탐퐁대기	tamponade
태반	placenta
태반조기박리	abruptio placentae (=placenta abruption)
태아	fetus
태아산모 집중치료실	fetal-maternal intensive care unit
터짐	rupture
턱구충증	gnathostomiasis
턱끝혀근	genioglossus muscle
털곰팡이증	mucormycosis
테베시우스(thebesian) 정맥	thebesian vein
테오필린	theophylline
테타너스	tetanus
테타니	tetany
테트라사이클린(tetracycline)유도체	tetracycline derivative
토끼항흉선세포글로불린	rabbit antithymocyte globulin
토루소징후	trousseau sign
토리거르기	glomerulus filtration
토리병	glomerular disease
토리여과율	glomerular filtration rate

토리콩팥염	glomerulonephritis
톡소포자충	toxoplasma gondii
톡소포자충증	toxoplasmosis
통각과민(증)	hyperalgesia
통각수용체	nociceptors
통기	aeration
통로	port, pathway
통증	pain
퇴행병	degenerative disease
투과성	permeability
투과폐부종	permeability type pulmonary edema
투석	dialysis
투석기	dialyzer
투시검사	fluoroscopy
투여량	dosage
튜브	tube
트랜스페린	transferrin
트로포닌	troponin
트롬보엘라스토그라피	thromboelastography
트롬보플라스틴	thromboplastin
트롬빈	thrombin
트롬빈시간	thrombin time
트리글리세리드	triglyceride
트립신	trypsin

특발성기질화폐렴	cryptogenic organizing pneumonia
특발성헤모시데린증	idiopathic pulmonary hemosiderosis
특발폐섬유증	idiopathic pulmonary fibrosis
특수성	specificity
특이-	specific
특이 약물반응	idiosyncratic drug response
특이성	specificity
특정-	specific
틈	cleft
틈새	clearance, cleft
티록신	thyroxine (T4)
티아민	thiamine
티아지드	thiazide
티오황산나트륨	sodium thiosulfate

파	pulse
파라캇중독	paraquat intoxication
파라콕시디오이데스진균증	paracoccidioidomycosis
파상풍	tetanus
파열	rupture
파절	fracture
파종결핵	disseminated tuberculosis
파종혈관내응고	disseminated intravascular coagulation (DIC)
파킨슨병	Parkinsonism
파파니콜로펴바른표본	Papanicolau smear
파형튜브	corrugated tube
판	plaque
판막기능장애	valvular dysfunction
판막성심장병	valvular heart disease
판막질환	valve disease
판막협착	valvular stenosis
판별	discrimination
팔	upper extremity
팔다리	extremity

팔로네증후	Tetralogy of Fallot
팔로사징후	Fallot tetralogy
팔신경얼기	brachial plexus
패들	paddle
패혈뇌병(증)	septic encephalopathy
패혈색전증	septic embolism
패혈쇼크	septic shock
패혈증	sepsis
패혈증비브리오균	vibrio vulnificus
패혈증증후군	sepsis syndrome
팽창	expansion
팽창부	expansion
팽창탄성	inflation compliance
퍼짐	diffusion
펄스	pulse
페놀	phenol
페닐알칼라인	phenylalkaline
페스트	plague
펩티드	peptide
펩티드글리칸	peptidoglycan
편도염	tonsillitis
편도주위고름집(농양)	peritonsillar abscess, quinsy
편위	aberrancy
편평-	flat

편평기	plateau phase
편평상피	squamous epithelium
편평상피종	squamous epithelioma
편평상피화생	squamous metaplasia
편평세포	squamous cell
편평세포암종	squamous cell carcinoma
편평세포제자리암종	squamous cell carcinoma in situ
편평세포층	squamous cell layer
편향징후	lateralizing sign
평균기도압	mean airway pressure
평균동맥압	mean arterial pressure (MAP)
평균혈압	mean blood pressure
평형염액	balanced salt solutions
평활근	smooth muscle
폐	lung
폐-	pulmonary
폐(허파)간질부종	pulmonary interstitial edema
폐(허파)사이질부종	pulmonary interstitial edema
폐가성낭종	pulmonary pseudocyst
폐간질	pulmonary interstitium
폐감염	pulmonary infection
폐경유압	transpulmonary pressure
폐경화	lung consolidation
폐고름집	lung abscess

폐공기증	emphysema
폐관류	pulmonary perfusion
폐괴저	pulmonary gangrene
폐기능	pulmonary function
폐기능검사	pulmonary function test
폐기능부전	pulmonary insufficiency
폐기저부	basal zone of lung
폐기종	emphysema, pulmonary emphysema
폐꼭대기	lung apex
폐내션트	intrapulmonary shunt
폐내압	intrapulmonary pressure
폐내피세포기능장애	pulmonary endothelial dysfunction
폐농양	lung abscess
폐단락	pulmonary shunt
폐동맥	pulmonary artery
폐동맥걸이(술)	pulmonary artery sling
폐동맥고혈압	pulmonary arterial hypertension, pulmonary hypertension
폐동맥고혈압위기	pulmonary hypertensive crisis
폐동맥도관	pulmonary artery catheter
폐동맥띠감기	pulmonary artery banding
폐동맥쐐기압	pulmonary artery wedge pressure
폐동맥압력	pulmonary artery pressure
폐동맥조영술	pulmonary angiography

폐동맥카테터	pulmonary artery catheter
폐동맥카테터삽입	pulmonary artery catheterization
폐동맥카테터삽입술	pulmonary artery catheterization
폐동맥판막협착(증)	pulmonary valvular stenosis
폐동맥판질환	pulmonic valve disease
폐동맥폐쇄압력	pulmonary artery occlusion pressure
폐동맥협착	pulmonary artery stenosis
폐동정맥기형	pulmonary arteriovenous malformation
폐렴	pneumonia
폐렴간균	klebsiella pneumoniae
폐렴구균백신	pneumococcal vaccine
폐렴막대균	klebsiella pneumoniae
폐렴미코플라스마	mycoplasma pneumonia
폐렴사슬알균	Streptococcus pneumoniae
폐렴연쇄구균	Streptococcus pneumoniae
폐렴중증지수	pneumonia severity index (PSI)
폐모세혈관	pulmonary capillary
폐모세혈관단락	pulmonary capillary shunt
폐모세혈관막	pulmonary capillary membrane
폐모세혈관말	pulmonary end-capillary
폐모세혈관쐐기압	pulmonary capillary wedge pressure
폐모세혈관염	pulmonary capillaritis
폐모세혈관혈액	pulmonary capillary blood
폐미끄럼현상	lung sliding

폐부종	pulmonary edema
폐산소독성	pulmonary oxygen toxicity
폐삼출액	parapneumonic effusion
폐색전증	pulmonary embolism
폐색전증증도지수	pulmonary embolism severity index
폐섬유화	pulmonary fibrosis
폐손상	lung injury
폐쇄 두부 손상	closed head injury
폐쇄기관지염	bronchiolitis obliterans
폐쇄기도질환	obstructive airway disease
폐쇄비대심근병(증)	obstructive hypertrophic cardiomyopathy
폐쇄비대심장근육병(증)	obstructive hypertrophic cardiomyopathy
폐쇄성 장간막 허혈	occlusive mesenteric ischemia
폐쇄성 폐질환	obstructive lung disease
폐쇄쇼크	obstructive shock
폐쇄신장병(증)	obstructive nephropathy
폐쇄요로병(증)	obstructive uropathy
폐쇄용적	closing capacity
폐쇄폐병	obstructive pulmonary disease
폐쇄폐질환	obstructive pulmonary disease
폐쇄회로	closed system
폐쇄후이뇨	postobstructive diuresis
폐순응도	lung compliance
폐순환	pulmonary circulation

폐스캔	lung scan
폐실질	lung parenchyma
폐실질 손상	parenchymal lung injury
폐심장증	cor pulmonale
폐아스페르길루스증	pulmonary aspergillosis
폐암	lung cancer
폐역학	pulmonary mechanics
폐열상	pulmonary laceration
폐외-	extrapulmonary
폐용적	lung volume
폐울혈	pulmonary congestion
폐이식	lung transplantation
폐절제술	pneumonectomy
폐정맥	pulmonary vein
폐조직	lung tissue
폐좌상	pulmonary contusion
폐침윤	lung infiltration
폐타박상	lung contusion
폐탄성	pulmonary compliance
폐포	alveolus (alveoli)
폐포-	alveolar
폐포(허파꽈리)주위간질부종	perialveolar interstitial edema
폐포(허파꽈리)주위사이질부종	perialveolar interstitial edema
폐포가스	alveolar gas

폐포과환기	alveolar hyperventilation
폐포내	intraalveolar
폐포내가스	intraalveolar gas
폐포내부종	intraalveolar edema
폐포단백증	pulmonary alveolar proteinosis
폐포단위	alveolar unit
폐포대식세포	alveolar macrophage
폐포동맥혈간산소분압차	alveolar-arterial oxygen tension difference (PA-aDO_2)
폐포동원	alveolar recruitment
폐포모세혈관막	alveolar capillary membrane
폐포모세혈관말단	alveolar end-capillary
폐포부종	alveolar edema
폐포사이질 증후군	alveolar-interstitial syndrome (AIS)
폐포산소분압	alveolar oxygen partial pressure (PAO_2)
폐포산소화	alveolar oxygenation
폐포상피세포	alveolar epithelial cell
폐포상피세포-혈관내피세포 장벽	alveolar epithelial cell-vascular endothelial cell barrier
폐포손상	alveolar injury
폐포압	alveolar pressure
폐포음영	alveolar marking
폐포자충증	pneumocystosis
폐포자충폐렴	pneumocystitis
폐포저산소증	pulmonary hypoxia

폐포저환기	alveolar hypoventilation
폐포중격	alveolar septum
폐포파열	alveolar rupture
폐포허탈	alveolar collapse
폐포환기	alveolar ventilation
폐포환기/관류	ventilation/perfusion (VA/Q)
폐하동맥협착	subpulmonary artery stenosis
폐허탈	lung collapse
폐혈관	pulmonary vessel
폐혈관계	pulmonary vascular system
폐혈관관류	pulmonary vascular perfusion
폐혈관내피세포	pulmonary vascular endothelial cell
폐혈관저항	pulmonary vascular resistance (PVR), pulmonary resistance
폐혈관저항지수	pulmonary vascular resistance index
폐혈관질환	pulmonary vascular disease
폐혈류량	pulmonary blood flow rate
폐활량	vital lung capacity (VC)
폐활량측정법	spirometry
폐흡충증	paragonimiasis
포도구균-	Staphylococcal
포도구균혈증	Staphylococcal bacteremía
포도당	glucose
포도당못견딤(증)	glucose intolerance

포도당불내성	glucose intolerance
포도당신합성	gluconeogenesis
포도알균-	Staphylococcal
포도알균알파독소	Staphylococcal alpha toxin
포도알균혈증	Staphylococcal bacteremía
포름산	formic acid
포스파토닌	phosphatonins
포스포디에스테라제억제제	phosphodiesterase inhibitors
포스포크레아틴	phosphocreatine
포식	phagocytosis
포식작용	phagocytosis
포충낭	echinococcal cyst
포화지방산	saturated fatty acid
폭로	exposure
폭로시간	exposure time
폭스바이러스	poxviruses
폭풍손상	blast injury
폰빌레브란트인자	von WilIebrand factor
폰탄순환	fontan circulation
폴리믹신혈액관류	polymyxin hemoperfusion
폴리오마바이러스	polyomaviruses
표고	altitude
표면-	superficial
표면장력	surface tension

표면활성물질	surfactant
표면활성제	surfactant
표시	indication
표재-	superficial
표재관자동맥	superficial temporal artery
표재정맥염	superficial phlebitis
표준화사망비	standardized mortalíty ratio
푸로세미드	furosemide
풍선	balloon
풍선카테터	balloon catheter
풍선혈관성형(술)	balloon angioplasty
풍선확장(술)	balloon dilatation
풍진	rubella
프랄리독심	pralidoxime
프레드니솔론	prednisolone
프로바이오틱스	probiotics
프로스타글란딘	prostaglandin
프로스타노이드	prostanoids
프로스타싸이클린	prostacyclin
프로카인아미드	procainamide
프로칼시토닌	procalcitonin
프로타민	protamine
프로트롬빈	prothrombin
프로트롬빈복합농축	protbrombin complex concentrates

프로트롬빈시간	prothrombin time (PT)
프로파페논	propafenone
프로포폴 주입 증후군	propofol infusion syndrome (PRIS)
프로피온산혈증	propionic acidemia
프로필렌글라이콜	propylene glycol
프르니에 괴저	Fournier's gangrene
프리바이오틱스	prebiotics
플라세보	placebo
플라스마라이트	plasmalyte
플라스미노겐 활성물질	plasminogen activator
플라스미노겐 활성제	plasminogen activator
플라즈미노겐	plasminogen
플라즈미노겐 활성억제인자-1	plasminogen inhibitory factor-1
플라즈민	plasmin
플라크	plaque
플루	flu
플루오로카본	fluorocarbon (teflon)
플루오로퀴놀론	fluoroquinolone
피	blood
피각/조각비핵 출혈	putaminal hemorrhage
피로(증)	fatigability
피롤리돈카복실산	pyroglutamic acidosis
피루브산염	pyruvate
피루브산염탈수소효소	pyruvate dehydrogenase

피루브산탈수소효소 결핍증	pyruvate dehydrogenase deficiency
피복상피	lining epithelium
피부	skin
피부경유혈관경유혈관성형(술)	percutaneous transluminal angioplasty
피부경유흡인술	percutaneous aspiration
피부경화증	scleroderma
피부굳음증	scleroderma
피부밑공기증	subcutaneous emphysema
피부밑조직	subcutaneous tissue
피부밑주사	subcutaneous (SC) injection
피부색깔	skin color
피부통과심박동조율	transcutaneous cardiac pacing
피부확장기	skin dilator
피브리노겐	fibrinogen
피브린	fibrin
피브린분해산물	fibrin degradation product (FDP)
피브린용해	fibrinolysis
피열연골	arytenoid cartilage
피질	cortex
피질제거자세	decorticate posturing
피질집합관	cortical collecting duct
피질하-	subcortical
피츠버그 심정지분류	pittsburgh cardiac arrest category
피페라실린	piperacillin

피폭	exposure
피하기종	subcutaneous emphysema
피하조직	subcutaneous tissue
피하주사	subcutaneous (SC) injection

하기도	lower respiratory tract
하단부	lower portion
하대정맥	inferior vena cava
하대정맥필터	inferior vena cava filter (IVC filter)
하만징후	Hamman's sign
하반신완전마비	paraplegia
하부비뇨기계증상	lower urinary tract symptoms
하부비뇨기계폐색	lower urinary tract obstruction
하악골골절	mandibular fractures
하악후퇴(증)	retrognathism
하엽	lower lobe
하월-졸리 소체	Howell-Jolly bodies
하이드로클로로타이아자이드	hydrochlorothiazide
하이드록시에틸전분	hydroxyethylstarch (HES)
하인두	hypopharynx
하인두공간	hypopharyngeal space
하임리히수기	Heimlich maneuver
하장간막동맥	inferior mesenteric artery
하지불안(불편)증후군	restless leg syndrome

학질	malaria
한계	borderline
한랭손상	cold injury
한랭쇼크	cold shock
한랭스트레스	cold stress
한랭이뇨	cold diuresis
한숨	sigh
한외거르기	ultrafiltration
한타바이러스(속)	hantavirus
한타바이러스폐증후군	hantavirus pulmonary syndrome
한타열	hanta fever
함몰두개골(머리뼈)골절	depressed skull fracture
함입태반	placenta increta
합병증	complication
합성	synthesis
합성대사	anabolism
합토글로빈	haptoglobin
항NMDAR뇌염	anti-NMDAR encephalitis
항경련	anticonvulsant
항경련제	anticonvulsant
항고혈압제	antihypertensive drugs
항공이송	air transportation
항균범위	antibacterial spectrum
항균스펙트럼	antibacterial spectrum

항균제관리프로그램	antimicrobial stewardship program
항뇌전증제	antiepileptic drug
항단백분해효소	antiproteinase
항독소단위	antitoxin unit
항레트로바이러스 증후군	antiretroviral syndrome
항말라리아 치료	antimalarial chemotherapy
항바이러스제	antiviral drugs
항부정맥제	antiarrhythmic drug
항사구체기저막사구체신염	anti-glomerular basement membrane glomerulonephritis
항산화방어계	antioxidation defense system
항산화제	antioxidant
항상성	homeostasis
항생	antibiotic
항생제	antibiotic
항생제 유발 대장염	antibiotic-associated colitis
항생제내성균	antibiotics resistant bacterium
항생제요법	antibiotic therapy
항생제처리 카테터	antibiotic-coated catheters
항생제 피막 또는 침윤 중심정맥카테터	antimicrobial-coated or -impregnated central venous catheters
항암치료	anticancer treatment
항염증작용	anti-inflammatory action
항원	antigen

항원항체반응	antigen-antibody reaction
항응고	anticoagulation
항응고경로	anticoagulation pathway
항응고억제제복합체	anti-inhibitor coagulation complex
항응고제	anticoagulant
항응고치료	anticoagulation treatment
항이뇨	antidiuresis
항이뇨호르몬	antidiuretic hormone (ADH)
항이뇨호르몬부적절분비증후군	syndrome of inappropriate antidiuretic hormone (SIADH)
항인지질항체증후군	antiphospholipid syndrome
항정상태	steady state
항중성구세포질항체	antineutrophil cytoplasmic antibody- associated small-vessel vasculitis
항진	increase
항체	antibody
항체-매개거부반응	antibody-mediated rejection
항콜린성증후군	anticholinergic syndrome
항콜린제	anticholinergic drug
항트롬빈 III	antithrombin III
항혈소판요법	antiplatelet therapy
항혈전요법	antithrombotic therapy
항협심증 약물	antianginal drug
해당작용	glycolysis

해독제	antidote
해리	dissociation
해면체염	cavernitis
해부적저장소	anatomical reservoir
해부학적사강	anatomic dead space
해부학적션트	anatomical shunt
해안징후	seashore sign
해열(제)	antipyretic
핵산증폭검사	nucleic acid amplification assays
핵의학	nuclear medicine
행동통증척도	behavioral pain scale
허리천자	lumbar puncture
허약	weakness
허용	tolerance
허용고탄산혈증	permissive hypercapnia
허탈	collapse
허파	lung
허파-	pulmonary
허파고혈압위기	pulmonary hypertensive crisis
허파관류	pulmonary perfusion
허파기능부전	pulmonary insufficiency
허파꼭대기	lung apex
허파꽈리	alveolus (alveoli)
허파꽈리-	alveolar

허파꽈리내	intraalveolar
허파꽈리내가스	intraalveolar gas
허파꽈리내부종	intraalveolar edema
허파꽈리단백증	pulmonary alveolar proteinosis
허파꽈리단위	alveolar unit
허파꽈리환기	alveolar ventilation
허파내피세포기능장애	pulmonary endothelial dysfunction
허파동맥	pulmonary artery
허파동맥고혈압	pulmonary hypertension
허파동맥쐐기압	pulmonary artery wedge pressure
허파동맥판막협착(증)	pulmonary valvular stenosis
허파모세혈관쐐기압	pulmonary capillary wedge pressure
허파밑동맥협착	subpulmonary artery stenosis
허파바깥-	extrapulmonary
허파부피	lung volume
허파속압	intrapulmonary pressure
허파심장증	cor pulmonale
허파절제술	pneumonectomy
허파혈관저항	pulmonary resistance
허혈	ischemia
허혈/재관류손상	ischemia/reperfusion injury
허혈결장염	ischemic colitis
허혈뇌경색증	ischemic cerebral infarction
허혈뇌졸증	ischemic stroke

허혈문턱값	ischemic threshold
허혈반음영	ischemic penumbra
허혈손상	ischemic injury
허혈심장병	ischemic heart disease (IHD)
허혈역치	ischemic threshold
허혈잘록창자염	ischemic colitis
헌트 및 헤스 척도	Hunt and Hess classification scale
헛약	placebo
헤르페스B바이러스	herpes B virus
헤마토크리트	hematocrit
헤모글로빈	hemoglobin (Hb)
헤모글로빈뇨	hemoglobinuria
헤파린	heparin
헤파린유발혈소판감소증	heparin-induced thrombocytopenia
헨드라바이러스	Hendra virus
헨리법칙	Henry's law
헬리옥스	heliox
헴	heme
혀밑-	sublingual
혀밑압측정(법)	sublingual tonometry
혀인두신경	glossopharyngeal nerve
현미경적혈뇨	microscopic hematuria
혈관	vessel
혈관-	vascular

혈관경련수축	vasospasm
혈관내막	tunica intima
혈관내막섬유증식	intima fibroplasia
혈관내액	intravascular fluid
혈관내용혈	intravascular hemolysis
혈관내피성장인자	vascular endothelial growth factor
혈관내피세포	vascular endothelial cell
혈관미주신경 반응	vasovagal events
혈관바깥막	tunica adventitia
혈관벽	vessel wall
혈관성형(술)	angioplasty
혈관세포유착분자	vascular cell adhesion molecule
혈관속막	tunica intima
혈관쇼크	vasogenic shock
혈관수축	vasoconstriction, vasoconstrictors
혈관수축신경	vasoconstrictors
혈관수축제	vasoconstrictors
혈관신경성부종	angioneurotic edema
혈관연축	vasospasm
혈관염	vasculitis
혈관외폐내수분	extravascular lung water
혈관작용약	vasoactive drugs
혈관재개통	revascularization
혈관재건(술)	revascularization

혈관재소통	vascular recanalization
혈관재형성	revascularization
혈관조영(술)	angiography
혈관중간막	tunica media
혈관탓쇼크	vasogenic shock
혈관통로	vascular access
혈관형성이상	angiodysplasia
혈관확장	vasodilation
혈관확장유발	vasodilator
혈관확장제	vasodilator
혈광확장운동신경	vasodilator
혈구형성세포이식	hematopoietic cell transplantation
혈뇨	hematuria
혈당	blood sugar
혈당측정기	blood glucose meter
혈량측정(법)	plethysmography
혈류	blood flow
혈류감염	bloodstream infection
혈류량	blood flow rate
혈류생성펌프	flow generator pump
혈류속도	blood flow rate
혈류역학	hemodynamics
혈색소	hemoglobin (Hb)
혈색소뇨	hemoglobinuria

혈색소함량	hemoglobin content
혈소판	platelet
혈소판기능분석기	platelet function analyzer (PFA-100)
혈소판기능장애	platelet dysfunction
혈소판막	platelet membrane
혈소판성분채집	apheresis platelets (single donor platelets)
혈소판억제제	platelet-inhibiting agent
혈소판응집	platelet aggregation
혈소판인자	platelet factors
혈소판활성인자	platelet activating factor
혈심낭	hemopericardium
혈압	arterial pressure, blood pressure
혈압상승	vasopressor
혈압상승제	pressor agent, vasopressor
혈액	blood
혈액가스분석	blood gas analysis
혈액가슴	hemothorax
혈액거르기	hemofiltration
혈액계	hematologic system
혈액기흉	hemopneumothorax
혈액뇌장벽	blood-brain barrier
혈액뇌척수액장벽	blood-cerebrospinal fluid barrier
혈액담즙(증)	hemobilia
혈액량	blood volume

혈액배양 양성시간 차이	differential time to positivity
혈액성분수혈	blood component transfusion
혈액순환	blood circulation
혈액심장막	hemopericardium
혈액여과	hemofiltration
혈액은행	blood bank
혈액응고	blood coagulation
혈액응고검사	blood coagulation test
혈액응고계	blood coagulation system
혈액응고인자	blood coagulation factor
혈액정화	blood purification
혈액투석	hemodialysis
혈액희석(법)	hemodilution
혈역관류	blood perfusion
혈역학감시	hemodynamic monitoring
혈역학모니터링	hemodynamic monitoring
혈역학불안정	hemodynamic instability
혈역학안정	hemodynamic stability
혈장	plasma
혈장교환(술)	plasma exchange
혈장단백분율	plasma protein fraction
혈장단백질	plasma protein
혈장복수알부민 격차	serum-ascites albumin gradient (SAAG)
혈장분리교환술	plasmapheresis

혈장삼투질농도	plasma osmolality
혈장증량제	plasma volume expander
혈전	thrombus
혈전미세혈관병(증)	thrombotic microangiopathies
혈전색전증	thromboembolism
혈전용해	thrombolytics
혈전용해요법	thrombolytic therapy
혈전용해작용	thrombolytic action
혈전용해제	thrombolytic agent
혈전제거술	thrombectomy
혈전증	thrombosis
혈전혈소판감소자색반병	thrombotic thrombocytopenic purpura (TTP)
혈전후증후군	postthrombotic syndrome
혈종	hematoma
혈중 헤모글로빈	blood hemoglobin
혈중 혈색소	blood hemoglobin
혈중농도	blood concentration
혈흉	hemothorax
혐기세균	anaerobic organism
협심증	angina, angina pectoris
협착	constriction
협착(증)	stenosis
협착심장막염	constrictive pericarditis
협착음	stridor

호기	expiration
호기가스	expired gas
호기말	end-expiratory
호기말 이산화탄소	end-tidal carbon dioxide ($ETCO_2$)
호기말양압	positive end-expiratory pressure (PEEP)
호기말이산화탄소분압측정법	capnometry/capnography
호기시간	expiratory phase time
호기유량	expiratory flow rate
호기유발	expiratory trigger
호기폐쇄	expiratory obstruction
호르몬	endocrine, hormone
호산구뇌염	eosinophilic meningitis
호산구심근염	eosinophilic myocarditis
호산구위장염	eosinophilic gastroenteritis
호산구폐렴	eosinophilic pneumonia
호산성물질	eosinophilic structure
호중구	neutrophil
호중구세포외덫	neutrophil extracellular traps (NET)
호중구증가	neutrophilia
호중구탐식작용	neutrophil phagocytic activity
호중성구증가	neutrophilia
호중성백혈구	neutrophil
호흡	breathing, breath, respiration
호흡가스교환	respiratory gas exchange

호흡계(통)	respiratory system
호흡곤란	dyspnea, respiratory distress, shortness of breath
호흡곤란증후군	respiratory distress syndrome
호흡관	breathing tube
호흡근	respiratory muscle
호흡기계화상	pulmonary burn
호흡기능부전	respiratory insufficiency
호흡기능상실	respiratory failure
호흡기능장애	respiratory dysfunction
호흡기세포융합바이러스	respiratory syncytial virus
호흡률	respiratory rate (RR)
호흡물리치료	chest physiotherapy
호흡보조	breathing support
호흡부전	respiratory failure
호흡산증	respiratory acidosis
호흡세기관지	respiratory bronchiole
호흡수	respiratory rate (RR)
호흡시간상수	respiratory time constant (RC)
호흡알칼리증	respiratory alkalosis
호흡양상	breathing pattern, respiratory pattern
호흡역학	respiratory mechanics
호흡운동	respiratory movement
호흡일	respiratory work, work of breathing (WOB)
호흡장애증후군	respiratory disturbance syndrome

호흡장치	breathing system
호흡재활	respiratory rehabilitation
호흡저하	hypoventilation
호흡저항	respiratory resistance
호흡정지	respiratory arrest
호흡주기	respiratory cycle
호흡중추	respiratory center
호흡폐기관지수상구조	respiratory bronchial tree
호흡항진	hyperpnea
혼동	confusion
혼란	confusion
혼미	stupor
혼수	coma
혼합	mix
혼합정맥	mixed vein
혼합정맥혈	mixed venous blood
혼합정맥혈산소포화도	mixed venous oxygen saturation (SvO_2/$SmvO_2$)
혼합튜브영양(법)	blenderized tube feeds
홍역	measles
홑극-	unipolar
화농성간농양	pyogenic liver abscess
화농정맥염	suppurative phlebitis
화농혈전정맥염	suppurative thrombophlebitis
화상	burn

화상중환자실	burn intensive care unit
화학-	chemical
화학매개체	chemical mediator
화학무기	chemical weapons
화학물질	chemical
화학성폐렴	chemical pneumonia
화학성폐손상	chemical lung injury
화학수용체	chemoreceptor
화학약품	chemical
화학요법	chemotherapy
화학적결합	chemical binding
화학적반응	chemical reaction
화학적손상	chemical injury
화학화상	chemical burn
확대	expansion
확대부	expansion
확률	probability
확산	diffusion
확산강조영상	diffusion-weighted imaging
확산장애	diffusion disturbance, diffusion impairment
확장	diastole
확장기	diastole, diastolic phase
확장기기능장애	diastolic dysfunction
확장기압	diastolic pressure

확장심근병(증)	dilated cardiomyopathy (DCMP)
확장심장근육병(증)	dilated cardiomyopathy (DCMP)
확정징후	positive sign
환기	aeration, ventilation
환기/관류불균형	ventilation/perfusion mismatch, ventilation/perfusion imbalance
환기/관류비	ventilation/perfusion ratio (V/Q ratio)
환기/관류스캐닝	ventilation/perfusion scanning
환기/관류짝짓기(일치, 적합)	ventilation/perfusion matching
환기기	ventilator
환기기연관폐렴	ventilator-associated pneumonia (VAP)
환기기연관폐손상	ventilator-associated/induced lung injury, ventilator induced acute lung injury
환기능력	ventilatory capacity
환기동인	ventilatory drive
환기동인전략	ventilator drive strategy
환기량	ventilation
환기방식	ventilatory mode
환기보조	ventilatory support
환기펌프부전	ventilatory pump failure
환기횟수	ventilatory rate
환류/관류관계	ventilation/perfusion relationship
환원	reduction
환자	patient

환자-기계환기기 부조화	patient-ventilator dyssnchrony
환자분류	triage
환자상태지수	patient state index (PSI)
환자안전	patient safety
환자지원체계	patient service system
환자-환기 상호작용	patient-ventilator interaction
활동	activity
활동전위	action potential
활동폐결핵	active pulmonary tuberculosis
활동항진성기도질환	hyperactive airway disease
활력징후	vital sign
활석	talc
활석증	talcosis
활성기	active phase
활성단백질 C	activated protein C
활성도	activity
활성산소기	reactive oxygen radical
활성산소종	reactive oxygen species (ROS)
활성응고시간	activated clotting time.
활성탄	activated charcoal
활성화	activation
활성화부분트롬보플라스틴시간	activated partial thromboplastin time (aPTT)
황달	jaundice
황산마그네슘	magnesium sulfate

황색포도구균	staphylococcus aureus
회귀방정식	equation of regression
회귀부정맥	reentrant arrhythmia
회복	recovery
회복상태	recovery state
회복실	postanesthesia care unit (PACU), recovery unit
회색질척수염	poliomyelitis
횡격막신경손상	phrenic nerve injury
횡경막	diaphragm
횡경막마비	diaphragmatic paralysis
횡경막탈장	diaphragmatic hernia
횡경막활동조정호흡보조	neurally adjusted ventilatory assistance (NAVA)
횡문근융해	rhabdomyolysis
효과	effect
효소	enzyme
후각	olfaction
후다발성백질뇌병증	posterior multifocal leukoencephalopath
후두	larynx
후두개	epiglottis
후두개염	epiglottitis
후두경검사(법)	laryngoscopy
후두기관손상	laryngotracheal injury
후두덮개	epiglottis
후두덮개계곡	vallecula

후두덮개염	epiglottitis
후두마스크	laryngeal mask airway
후두부종	laryngeal edema
후두연축	laryngeal spasm
후두인두	hypopharynx
후두조직	laryngeal tissue
후방	dorsal
후방척수증후군	posterior cord syndrome
후백질뇌병증	posterior leukoencephalopathy
후부하	afterload
후액와선	posterior axillary line
후유증	sequela
후이소성휴지기	postectopic pause
후종격동염	posterior mediastinitis
후천면역결핍증후군	acquired immune deficiency syndrome (AIDS)
휴식기	resting phase
휴식에너지소비량	resting energy expenditure
흉강	thoracic cavity
흉강개구술	thoracotomy
흉강경	thoracoscope
흉강경흉막유착	thoracoscopic pleurodesis
흉강내기도저항	intrathoracic airway resistance
흉강내동맥	intrathoracic artery
흉강내압	intrapleural pressure, intrathoracic pressure

흉강내질환	intrathoracic disease
흉강삽관(술)	thoracostomy
흉강압	pleural pressure
흉강천자	thoracentesis
흉골	Sternum
흉골상절흔	suprasternal notch
흉골상처감염	sternal wound infection
흉곽내-	intrathoracic
흉곽외기도	extrathoracic airway
흉곽외기도저항	extrathoracic airway resistance
흉곽외동맥	extrathoracic artery
흉곽출구증후군	thoracic outlet syndrome
흉관	chest tube
흉관삽입술	chest tube insertion
흉막	pleura
흉막강	pleural cavity
흉막경유압	transpleural pressure
흉막삼출	pleural effusion
흉막삼출액	pleural effusion
흉막선	pleural line
흉막유착	pleurodesis
흉막유착법	pleurodesis
흉벽	chest wall
흉부	chest

흉부경유심(장)초음파(술)	transthoracic echocardiography (TTE)
흉부대동맥	thoracic aorta
흉부방사선사진	chest X-ray radiograph
흉부손상	chest trauma
흉부압박	chest compression
흉부외상	chest trauma, thoracic trauma
흉부전산화단층촬영술	chest computed tomography (chest CT)
흉부혈관내대동맥치료	thoracic endovascular aortic repair (TEVAR)
흉선절제(술)	thymectomy
흉선종	thymoma
흉쇄유돌근	sternocleidomastoid muscle
흉터	scar
흉터조직	scar tissue
흉통	chest pain
흐름	flow
흐름속도	flow velocity
흑사병	plague
흑수열	blackwater fever
흡기	inspiration
흡기가스	inspiratory gas
흡기말	end-inspiratory
흡기산소분압	inspired oxygen partial pressure (PiO_2)
흡기시간	inspiratory phase time
흡기압	inspiratory pressure

흡기역치부하	inspiratory threshold load
흡기요구량	inspiratory demand
흡기용적	inspiratory capacity
흡기질소분압	inspired nitrogen partial pressure (PiN_2)
흡기호기비율	inspiratory expiratory ratio
흡수	absorption
흡수무기폐	absorption atelectasis
흡수장애	malabsorption
흡연	smoking
흡연자	smoker
흡인	aspiration, suction
흡인증후군	aspiration syndrome
흡인폐렴	aspiration pneumonia, aspiration pneumonitis
흡입	inhalation
흡입량	inhalation volume
흡입마취가스	inhalation anesthetic gas
흡입산소농도	inspired oxygen concentration
흡입산소분율	fraction in inspired oxygen (FIO_2)
흡입손상	inhalation injury
흡입요법	inhalation therapy
흡입폐손상	inhalation lung injury
흥분독성	excitotoxicity
흥분독소길항제	excitotoxin antagonist
흥분수축결합	excitation contraction coupling

희석	dilution
희석 응고병증	dilutional coagulopathy
희석저나트륨혈증	dilutional hyponatremia
히드랄라진	hydralazine
히드로코르티손	hydrocortisone
히드록실라디칼	hydroxyl radical
히스다발	his bundle
히스테리시스	hysteresis
히스토플라스마(속)	histoplasma
히스토플라스마증	histoplasmosis
히스-푸르킨예 체계	His-Purkinje system